AUTORAS

María Acosta ◆ Alma Flor Ada ◆ Ramonita Adorno de Santiago ◆ JoAnn Canales ◆ Kathy Escamilla
Joanna Fountain-Schroeder ◆ Lada Josefa Kratky ◆ Sheron Long ◆ Elba Maldonado-Colón
Sylvia Cavazos Peña ◆ Rosalía Salinas ◆ Josefina Villamil Tinajero
María Emilia Torres-Guzmán ◆ Olga Valcourt-Schwartz

MACMILLAN/McGRAW-HILL SCHOOL PUBLISHING COMPANY
NEW YORK CHICAGO COLUMBUS

TEACHER REVIEWERS

Hilda Angiulo, Jeanne Cantú, Marina L. Cook, Hilda M. Davis, Dorothy Foster, Irma Gómez-Torres, Rosa Luján, Norma Martínez, Ana Pomar, Marta Puga

ACKNOWLEDGMENTS

The publisher gratefully acknowledges permission to reprint the following copyrighted material:

"¡A girar, girasol!" originally published as "El girasol" by Fernando Luján from NIÑOS Y ALAS by Ismael Rodríguez Bou. Copyright, 1957 by the Superior Council on Education of Puerto Rico. Used by permission of the publisher.

"Abuelita Lobo: la Caperucita Roja de la China" translation of the entire text of LON PO PO: A RED-RIDING HOOD STORY FROM CHINA translated (into English) and illustrated by Ed Young. Copyright © 1989 by Ed Young. Published by Philomel Books. Reprinted by permission of McIntosh and Otis, Inc.

"Animales: verdades y fábulas" translated from ANIMAL FACT/ANIMAL FABLE by Seymour Simon, illustrated by Diane de Groat. Text copyright © 1979 by Seymour Simon. Illustrations copyright © 1979 by Diane de Groat. Reprinted by permission of Crown Publishers, Inc. and Harold Ober Associates Incorporated.

Cover permission for CUENTOS DESCONTENTOS by Rocío Sanz and Ulises Culebro. © Consejo Nacional de Fomento Educativo. Text © Rocío Sanz. Reprinted by permission of the publisher.

"Diego Rivera" from DÍAS Y DÍAS DE POESÍA by Alma Flor Ada. Copyright © 1991 Hampton-Brown Books. Used by permission of the publisher.

"Dos hormigas traviesas" translation of the entire text of TWO BAD ANTS by Chris Van Allsburg. Copyright © 1988 by Chris Van Allsburg. Reprinted by permission of Houghton Mifflin Company. All rights reserved.

"El cuento vacío" by Rocío Sanz. © Editorial Universitaria Centroamericana EDUCA. Used by permission of the publisher.

Cover permission for EL EXPRESO POLAR by Chris Van Allsburg. Copyright © 1985 by Chris Van Allsburg. © 1988 Ediciones Ekaré–Banco del Libro. Reprinted by permission of the publisher.

"El Reino del Revés" from LOS TRES MORRONGOS by María Elena Walsh. © 1987, Editorial Sudamericana, S.A. Used by permission of the publisher.

"El reloj burlón" by Marisa Vannini de Gerulewicz. © Colegial Bolivariana, C.A. Reprinted by permission of the publisher.

Cover permission for EL RETORNO DE LOS PÁJAROS by Marisa Vannini de Gerulewicz. © Colegial Bolivariana, C.A. Reprinted by permission of the publisher.

"En un barrio de Los Ángeles"/"In a neighborhood in Los Angeles" from CUERPO EN LLAMAS/BODY IN FLAMES by Francisco X. Alarcón. Copyright © 1990 by Francisco X. Alarcón. Reprinted by permission of Chronicle Books.

"Fabulita" by Manuel del Palacio from EL LIBRO DE LAS FÁBULAS by Carmen Bravo-Villasante. © Carmen Bravo-Villasante, 1982. © Ediciones Susaeta. Reprinted by permission of the publisher.

Cover permission for LA BODA DE LA RATITA Y MÁS TEATRO-CUENTOS by Mireya Cueto. © Consejo Nacional de Fomento Educativo. Reprinted by permission of the publisher.

"La colcha de retazos" translation of the entire text of THE PATCHWORK QUILT by Valerie Flournoy, illustrations by Jerry Pinkney. Text copyright © 1985 by Valerie Flournoy. Illustrations copyright © 1985 by Jerry Pinkney. Used by permission of Dial Books for Young Readers, a division of Penguin Books USA Inc.

"Las manos del abuelo" by Gervasio Melgar from NIÑOS Y ALAS by Ismael Rodríguez Bou. Copyright, 1957 by the Superior Council on Education of Puerto Rico. Reprinted by permission of the publisher.

Cover permission for LOS TÍTERES by Berta Hiriart Urdanivia. © Editorial Patria, S.A. de C.V. Reprinted by permission of the publisher.

"Los tres hijos del rey" by Mireya Cueto. © Consejo Nacional de Fomento Educativo. Used by permission of the publisher.

"Los veranos en la granja del abuelo" translation of the entire text of ON GRANDDADDY'S FARM by Thomas B. Allen. Copyright © 1989 by Thomas B. Allen. Reprinted by permission of Alfred A. Knopf, Inc.

"Lupa" from PALABRAS QUE ME GUSTAN by Clarisa Ruiz. Copyright © 1987 by Editorial Norma S.A. Used by permission of the publisher.

"Madrigal de un niño" by Juan B. Huyke from POESÍA PUERTORRIQUEÑA PARA LA ESCUELA ELEMENTAL by Carmen Gómez Tejera, Ana María Losada and Jorge Luis Porras. Copyright, 1958 by Estado Libre Asociado de Puerto Rico (Departamento de Instrucción Pública). Used by permission of the publisher.

"Opt, un cuento de ilusiones" translated from OPT: AN ILLUSIONARY TALE by Arline and Joseph Baum. Copyright © 1987 by Arline and Joseph Baum. Used by permission of Viking Penguin, a division of Penguin Books USA Inc.

"Parientes" by Juan Quintana from DÍAS Y DÍAS DE POESÍA by Alma Flor Ada. Copyright © 1991 Hampton-Brown Books. Used by permission of the publisher.

"Piensa" from VERSOS PARA SOÑAR Y JUGAR I by María Luisa Silva. © María Luisa Silva, 1989. © Pehuén Editores, 1989. Used by permission of the publisher.

Cover permission for RISAS, POESÍAS Y CHIRIGOTAS by Consuelo Armijo. © Consuelo Armijo, 1984. © Susaeta Ediciones. Reprinted by permission of the author.

(continued on page 335)

Macmillan/McGraw-Hill School Division
10 Union Square East
New York, New York 10003

Printed in the United States of America
ISBN 0-02-178007-2 / 3, L.8
6 7 8 9 VHS 99 98 97

El girasol

¡A dormir,
a la mar,
caracol!

¡A dormir,
a la flor,
colibrí!

¡A girar,
girasol!

¡Que sí,
que no,
con la luna y el sol!

Fernando Luján

Piensa, piensa, piensa...

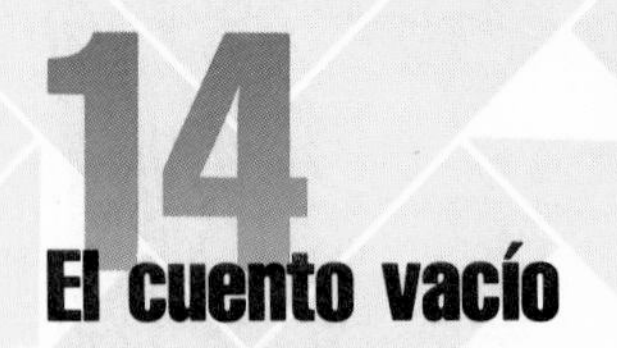

14 El cuento vacío

cuento fantástico
de Rocío Sanz

Había una vez un cuento muy triste. ¿Por qué estaba triste? Porque estaba vacío. Hasta que un día, los niños del mundo se acordaron de él.

36 Abuelita Lobo: la Caperucita Roja de la China

cuento tradicional
versión e ilustraciones de Ed Young
Medalla Caldecott, 1990; Libro Infantil Notable en el Área de Estudios Sociales, 1989; Premio Horn del Libro (Folklore), 1990

Golpean a la puerta. La voz al otro lado dice que es abuelita. Pero, ¡qué voz tan grave y qué manos tan ásperas tiene abuelita!

Con otros ojos

Lazos familiares

Poesía

Dale más vueltas

Libros de la biblioteca

CONTENIDO

UNIDAD 1

Piensa, piensa, piensa...

Piensa

Piensa... piensa... piensa...
te preguntaré.
—¿Hay acaso estrellas
cuando el sol se ve?

Piensa... piensa... piensa...
te preguntaré.
—¿Podrá hablar un loro
chileno en inglés?

Piensa... piensa... piensa...
te preguntaré.
—En una terraza
van en fila hormigas,
si una se desvía
¿lo hacen sus amigas?

Piensa... piensa... piensa...
te preguntaré.
—¿Cómo sabe un barco
que no va al revés?

Piensa... piensa... piensa...
te preguntaré.
—Si pica una abeja
¿picará otra vez?

Piensa... piensa... piensa...
te preguntaré.
—Una lagartija
se cortó su cola
¿por qué quedó ésta
moviéndose sola?

Piensa... piensa... piensa...
No
te
lo
diré.

María Luisa Silva

Conozcamos a Rocío Sanz

Rocío Sanz nació en Costa Rica. Escribe cuentos para niños y obras musicales. También trabaja en la radio. Es directora de un popular programa llamado "El rincón de los niños", en la Radioemisora de la Universidad Nacional Autónoma de México (UNAM).

En la selección "El cuento vacío" aparecen los personajes de los cuentos infantiles más conocidos. Y el final es especial puesto que invita al lector a continuar el cuento, añadiendo algo de su propia imaginación.

"Después de leer el libro *El cuento vacío*, los niños de mi clase quisieron ponerse a escribir inmediatamente su propio cuento", dice una maestra de tercer grado del programa bilingüe.

El
cuento
vacío
Rocío Sanz

Había una vez un cuento descontento. ¿Por qué estaba descontento?

Porque estaba vacío. No tenía nada: ni hadas, ni duendes, ni dragones, ni brujas. Ni siquiera tenía un lobo o un enano.

Los otros cuentos ya lo tenían todo: Blancanieves tenía siete enanos; Pulgarcito tenía sus botas de siete leguas; ¡y Alicia tenía todo el País de las Maravillas!

Pero nuestro cuento estaba vacío.

Fue a ver a las hadas madrinas, pero las encontró muy ocupadas.

—No podemos ayudarte —le dijeron—. Imagínate: en la Bella Durmiente necesitan hasta trece hadas madrinas. Estamos todas ocupadas.

Nuestro cuento fue a ver si conseguía algún dragón, pero todos estaban ya apartados para los cuentos chinos. Trató de procurarse aunque fueran unos cuantos duendes, pero todos andaban ya en los otros cuentos. No pudo conseguir hadas, ni dragones, ni duendes ni nada. Era un cuento vacío. Estaba muy descontento. Tan descontento que no volvió a salir de su casa. Le daba vergüenza que lo vieran tan despoblado, tan vacío. Nuestro cuento no volvió a salir nunca más.

Los otros cuentos eran muy famosos. Algunos, como Pinocho y Blancanieves, se hicieron estrellas de cine y salían retratados en todos los periódicos. Hasta la humilde Cenicienta llegó a ser estrella de cine. Pero, claro, Cenicienta tenía príncipe y zapatillas de cristal, y nuestro cuento no tenía nada. **Estaba vacío** y no volvió a salir de su casa.

Los otros cuentos sí salían; andaban por todas partes, todo el mundo los contaba.

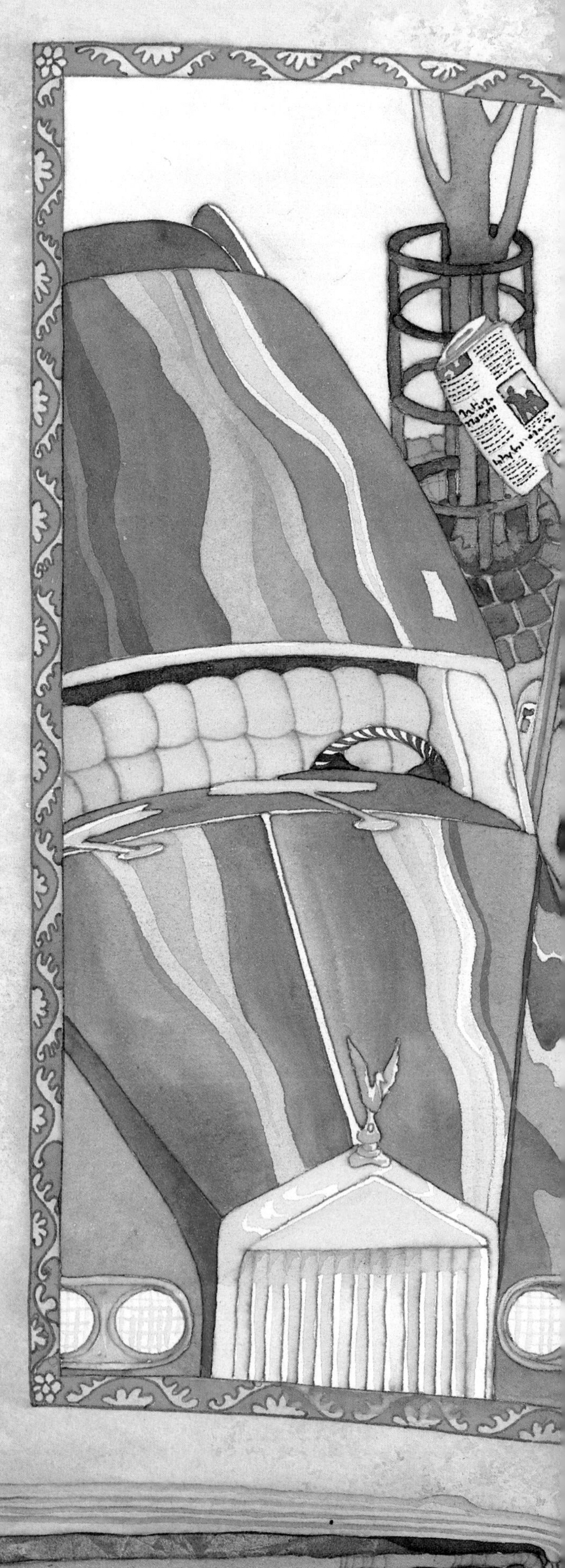

El
Dorad
PRENSA
PRENSA

Los niños del mundo siempre estaban pidiendo que les contaran un cuento, y otro, y otro más. Y los cuentos andaban ocupadísimos, de acá para allá, con sus carrozas y princesas, con sus barcos y piratas, con sus hadas y sus duendes.

Y los cuentos viajaban de un país a otro, de un idioma a otro, andaban por todas partes.

Nuestro cuento vacío seguía encerrado en su casa, muy triste y renegando, y los niños del mundo seguían pidiendo cuentos, cada vez más. Cuentos y más cuentos... ¡hasta que se los acabaron todos!

No quedó ni un cuento.

Se gastaron todos.

El mundo se quedó sin cuentos.

Nada.

Ni uno solo.

Entonces los niños se acordaron del cuento vacío y fueron a buscarlo. Él no quería salir. Le daba vergüenza porque no tenía nada, ni brujas, ni princesas, ni zapatillas de cristal. No tenía nada.

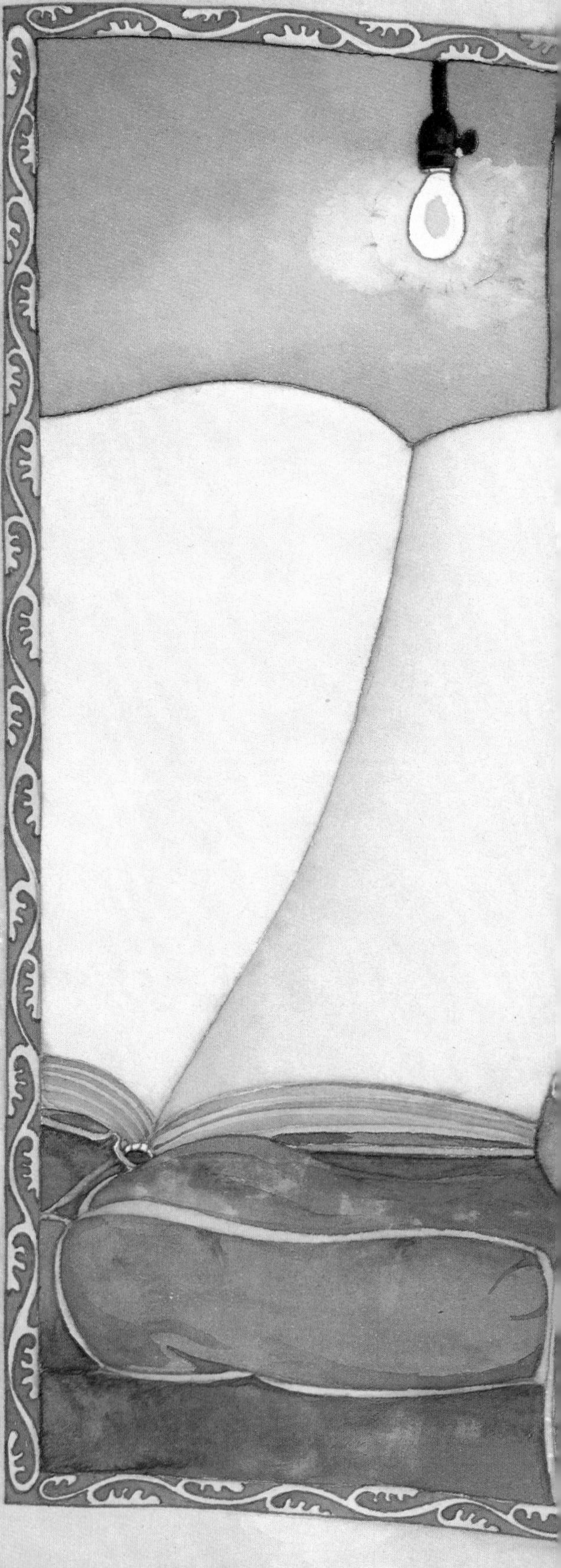

Era un cuento vacío. Pero los niños lo sacaron y lo llenaron de cosas: Le pusieron luciérnagas y salió un cuento mágico. Le pusieron naves espaciales y salió un cuento de aventuras. Le pusieron un ratón en bicicleta y quedó un cuento chistoso. Lo llenaron de ballenas y ballenatos y quedó un cuento gordo, húmedo y tierno.

Los niños estaban felices poniéndole cosas al cuento vacío, hasta que una niña chiquitita dijo:

—¡Yo no sé leer todavía! ¡Pónganle colores al cuento para que yo lo entienda!

Y el cuento se llenó con todos los colores del arco iris. Todos los niños del mundo jugaron con aquel cuento.

Una niña le puso todos los peces del mar y otra lo llenó de alas y de murciélagos. Un niño lo cubrió de minerales preciosos y el cuento brilló. ¡Y otro le puso un marcianito verde y un superpingüino azul!

Los niños le pusieron al cuento un traje espacial y lo mandaron a recorrer galaxias. Cuando regresó, lo vistieron de buzo y lo mandaron al fondo del mar. De ahí regresó el cuento con burbujas, pulpos y corales: ¡todo lo maravilloso del mundo!

Y una niña dijo:

—¡A mí me gustaban las princesas que se gastaron en los otros cuentos! Y los niños del mundo volvieron a inventar a las princesas, a las hadas y a los ogros.

Nuestro cuento ya no estaba descontento. ¡Ya no estaba vacío! Era el último cuento que quedaba y fue todos los cuentos.

A los niños les gustó el cuento vacío, porque podían ponerle lo que quisieran.

Y tú, ¿qué le pondrías? ¿Qué te gustaría ponerle al cuento? Aquí está, blanco y vacío, para que juegues con él.

Abuelita
Lobo
LA CAPERUCITA ROJA DE LA CHINA
ED YOUNG

Había una vez una mujer que vivía sola en el campo con sus tres hijas, Shang, Tao y Paotze. En el día del cumpleaños de la abuelita, la buena madre fue a visitarla. Dejó a las tres hijas en casa.

Antes de irse, les dijo:

—Pórtense bien mientras yo no esté, mis amadas hijas. Esta noche no voy a regresar. No se olviden de cerrar y trancar bien la puerta en cuanto anochezca.

Pero un viejo lobo vivía cerca y había visto partir a la

madre. Al anochecer, llegó hasta la casa de las niñas, disfrazado de viejecita. Tocó dos veces a la puerta: toc, toc.

Shang, la mayor, preguntó a través de la puerta trancada:

—¿Quién es?

—Mis amores —dijo el lobo—, soy yo, la abuelita.

—¡Abuelita!, mamá fue a visitarte —dijo Shang.

El lobo, haciéndose el sorprendido, dijo: —¿A visitarme? No la encontré por el camino. Debe de haberse ido por otro lado.

—Abuelita —dijo Shang—. ¿Por qué vienes tan tarde?

El lobo respondió: —El viaje es largo, niñas mías, y el día es muy corto.

Shang escuchaba a través de la puerta.

—Abuelita —preguntó—, ¿por qué tienes la voz tan ronca?

—La abuelita está resfriada, mis queridas niñas, y aquí afuera está oscuro y muy ventoso. Abran rápido la puerta y dejen que la abuelita entre —respondió el astuto lobo.

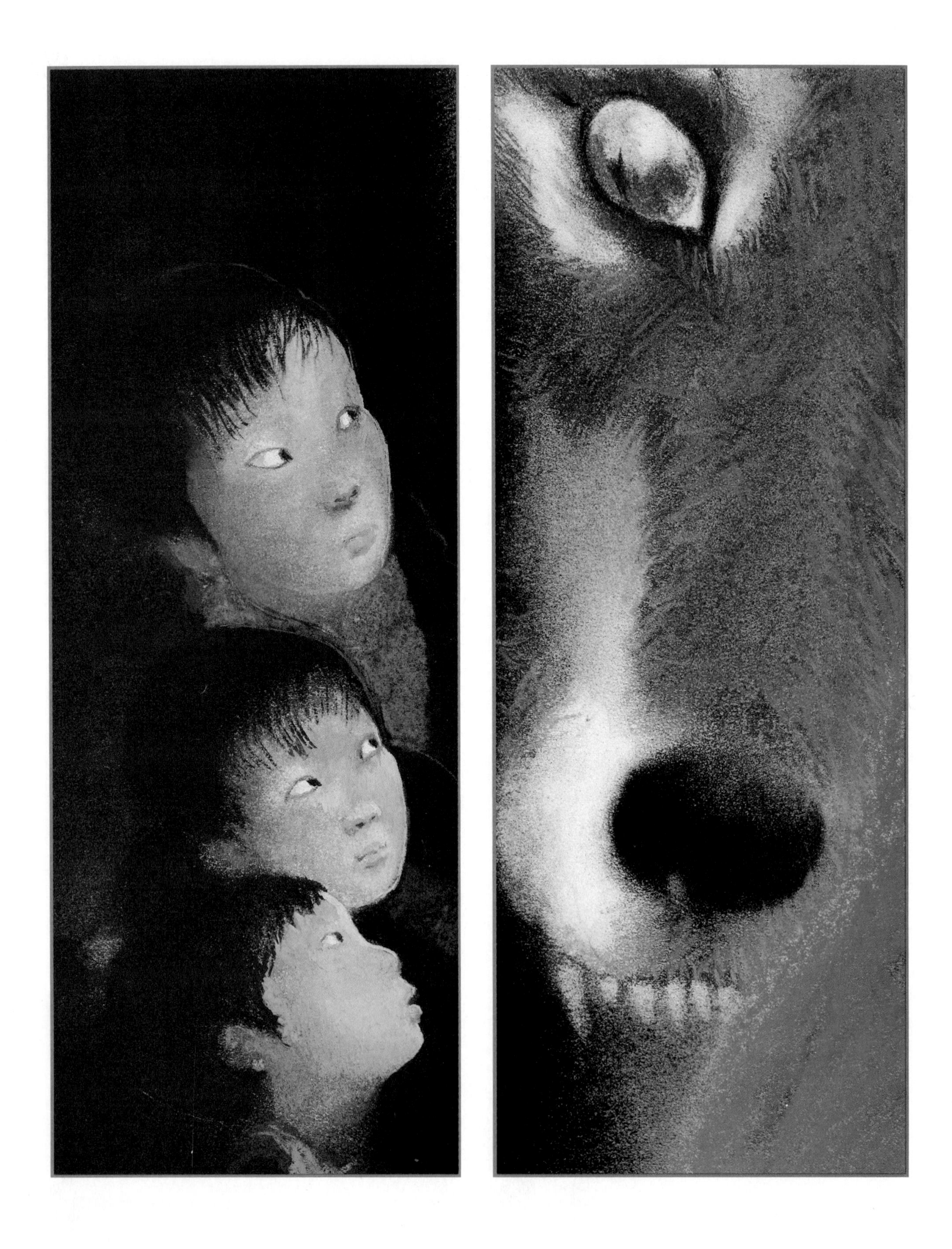

Tao y Paotze no pudieron esperar. Una le quitó la tranca a la puerta y la otra la abrió.

—¡Entra, abuelita, entra! —exclamaron.

Apenas entró, de un soplido, el lobo apagó la vela.

—Abuelita —preguntó Shang—, ¿por qué apagaste la vela? Ahora nos quedamos a oscuras.

El lobo no respondió.

Tao y Paotze corrieron para abrazar a su abuelita. El viejo lobo abrazó a Tao y exclamó:

—Mi niña, ¡qué gordita estás!

Luego, le dio un gran abrazo a Paotze.

—Niña mía —suspiró—, ¡pero qué encantadora te has puesto!

Enseguida, el viejo lobo fingió que tenía mucho sueño y empezó a bostezar.

—Ya todos los pollitos están en el gallinero —dijo—, la abuelita también tiene sueño.

Cuando el lobo saltó a la gran cama, Paotze se metió

a un lado y Shang y Tao se acostaron en el otro lado.

Al estirarse, Shang tocó la cola del lobo.

—Abuelita, abuelita —dijo asustada—, ¡tienes un arbusto enredado en los pies!

—La abuelita trajo unas fibras de cáñamo para tejerles una canasta —dijo el lobo.

Shang tocó las afiladas garras de la abuelita y dijo:
—Abuelita, abuelita, tienes espinas en las manos.

—La abuelita trajo un punzón para hacerles unos zapatos —dijo el lobo.

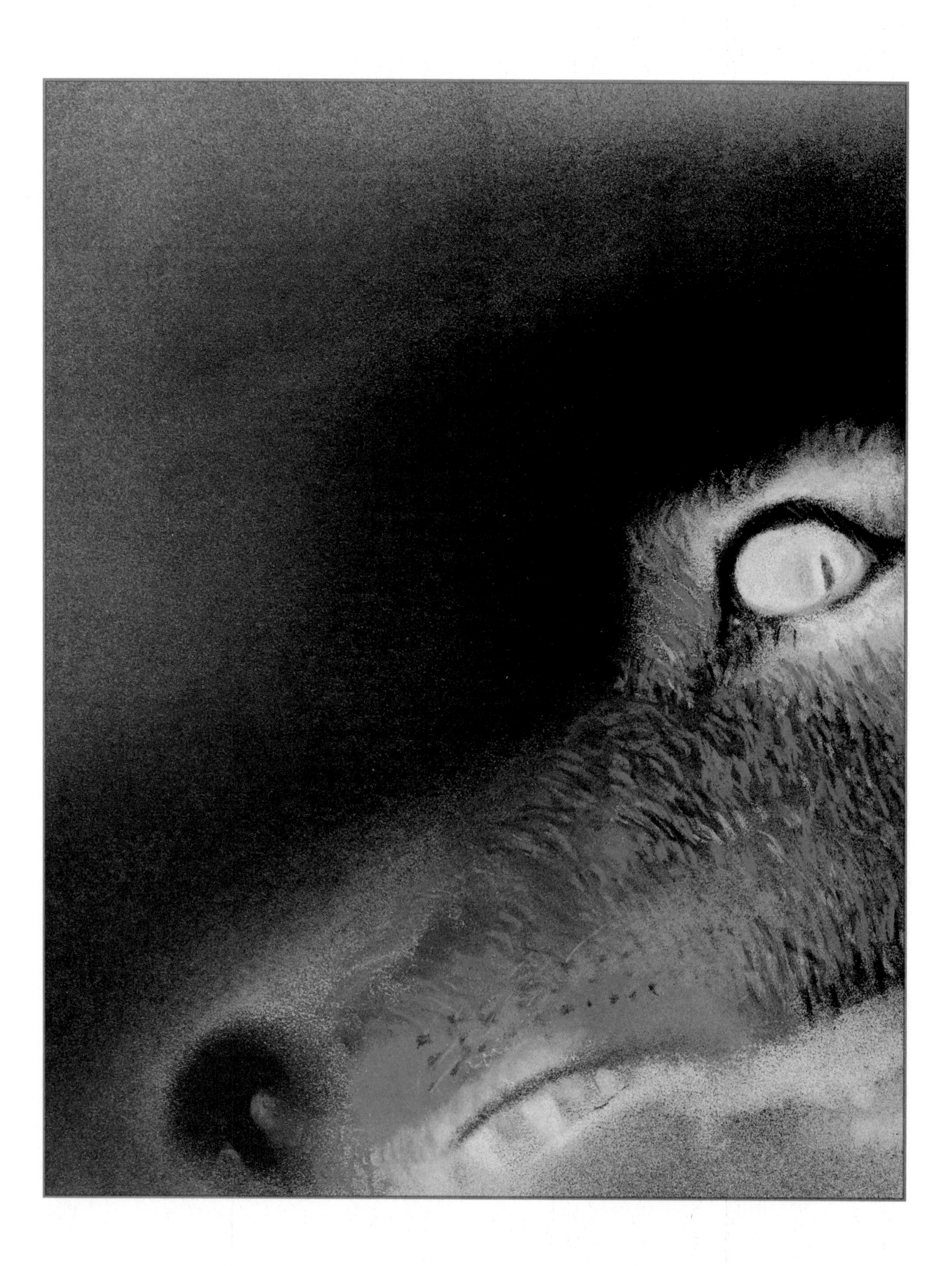

Inmediatamente, Shang encendió la vela y el lobo la volvió a apagar, pero..., Shang había visto la cara peluda del lobo.

—Abuelita, abuelita —dijo Shang, que no sólo era la mayor, sino también la más lista—, debes tener hambre. ¿Has probado los frutos del gincgo?

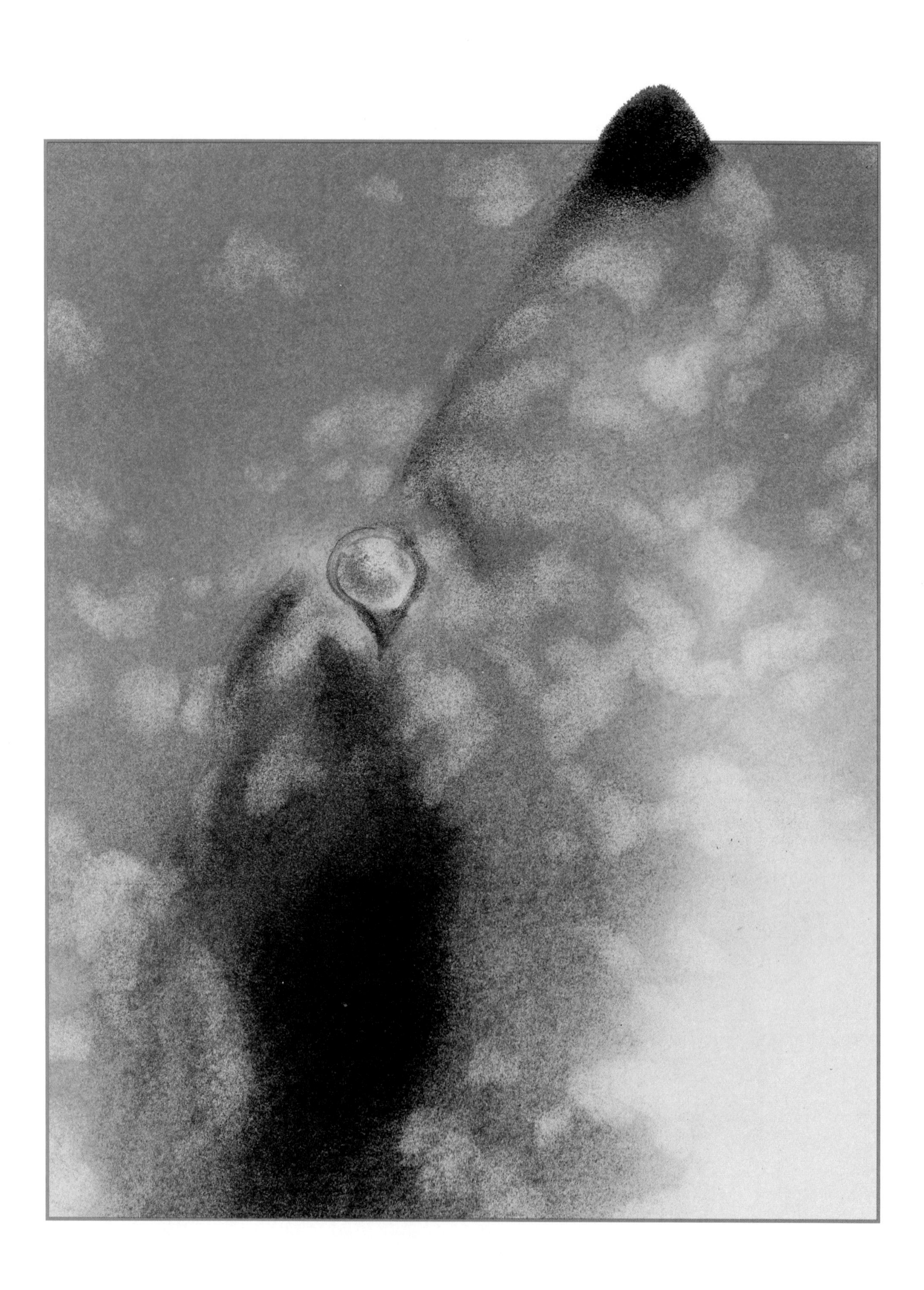

—¿Qué es un gincgo? —preguntó el lobo.

—El fruto del árbol de gincgo es dulce y blando, como la piel de un bebé. Lo pruebas una vez y vivirás para siempre —dijo Shang—. Crece en lo más alto del árbol que está justo afuera de la casa.

El lobo suspiró: —¡Qué lástima! La abuelita ya está vieja y tiene los huesos frágiles. Ya no puede subirse a un árbol.

—Abuelita querida, nosotras podemos bajarte algunos —dijo Shang.

El lobo aceptó, encantado.

Shang saltó de la cama y Tao y Paotze fueron con ella hasta el árbol. Una vez allí, Shang les contó a sus hermanas del lobo, y las tres se subieron al árbol alto.

El lobo esperó y esperó. Tao, la gordita, no regresaba. Paotze, la encantadora, no regresaba. Shang no regresaba, y nadie le llevaba frutos del gincgo. Entonces, el lobo gritó: —Niñas, ¿dónde están?

—Abuelita —respondió Shang—, estamos en lo más alto del árbol comiendo frutos del gincgo.

—Mis queridas niñas —suplicó el lobo—, corten algunos para mí.

—Abuelita —dijo Shang—, el fruto del gincgo es mágico sólo cuando se corta directamente del árbol. Tienes que venir a cortarlo tú misma.

El lobo salió y empezó a pasearse debajo del árbol donde escuchaba a las tres niñas que comían los frutos del gincgo en lo alto del árbol.

—Oh, abuelita, estos frutos son muy sabrosos. ¡La cáscara es muy blandita! —dijo Shang.

Al lobo se le empezó a hacer agua la boca.

Shang, la mayor y más lista de las niñas, dijo por fin:
—Abuelita, abuelita, tengo un plan: junto a la puerta hay una gran canasta. Detrás hay una cuerda. Amarra la canasta con la cuerda, siéntate en la canasta y lánzame la otra punta de la cuerda. Yo te subiré.

El lobo, muy contento, fue a buscar la canasta y la cuerda. Luego, lanzó una punta a la

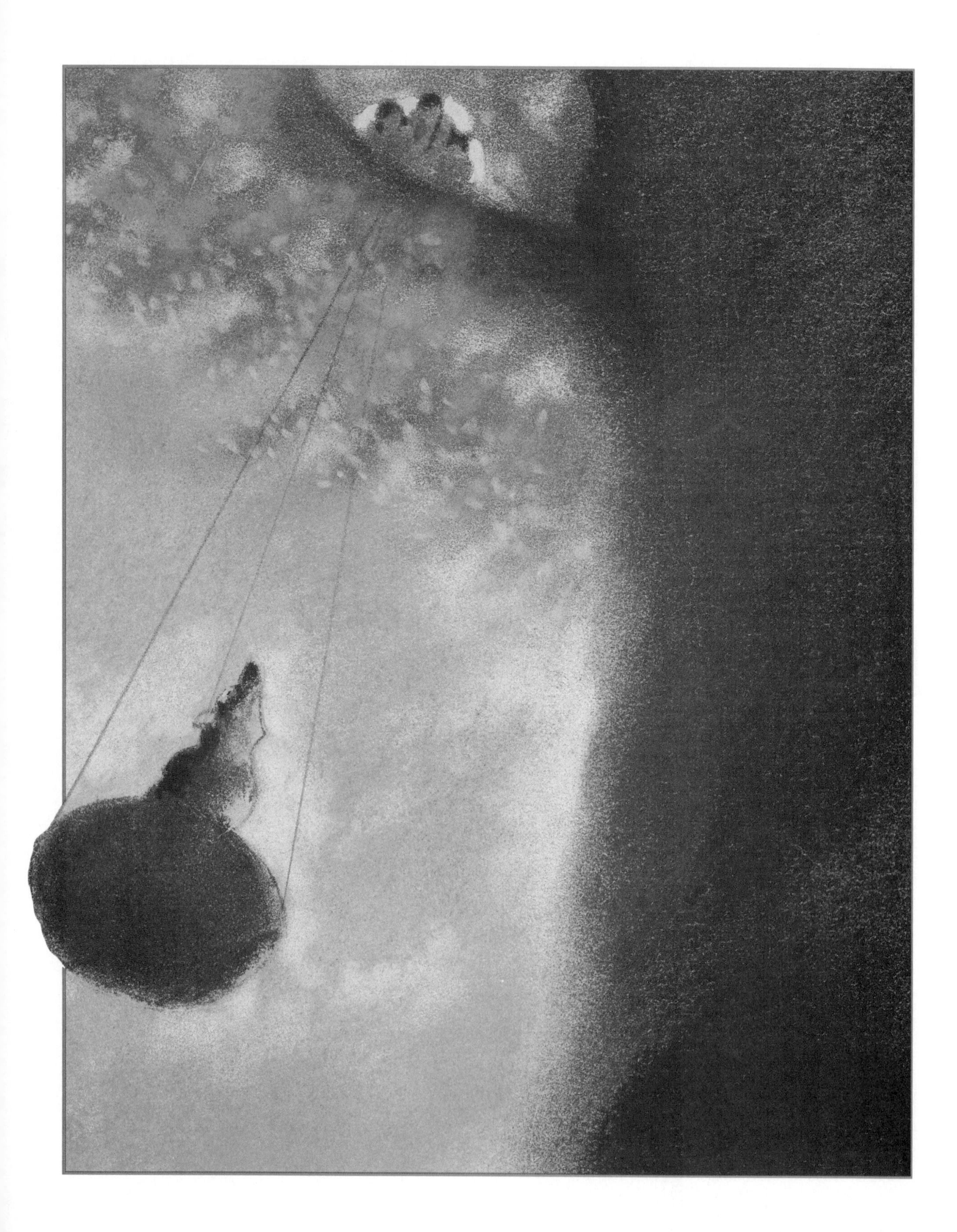

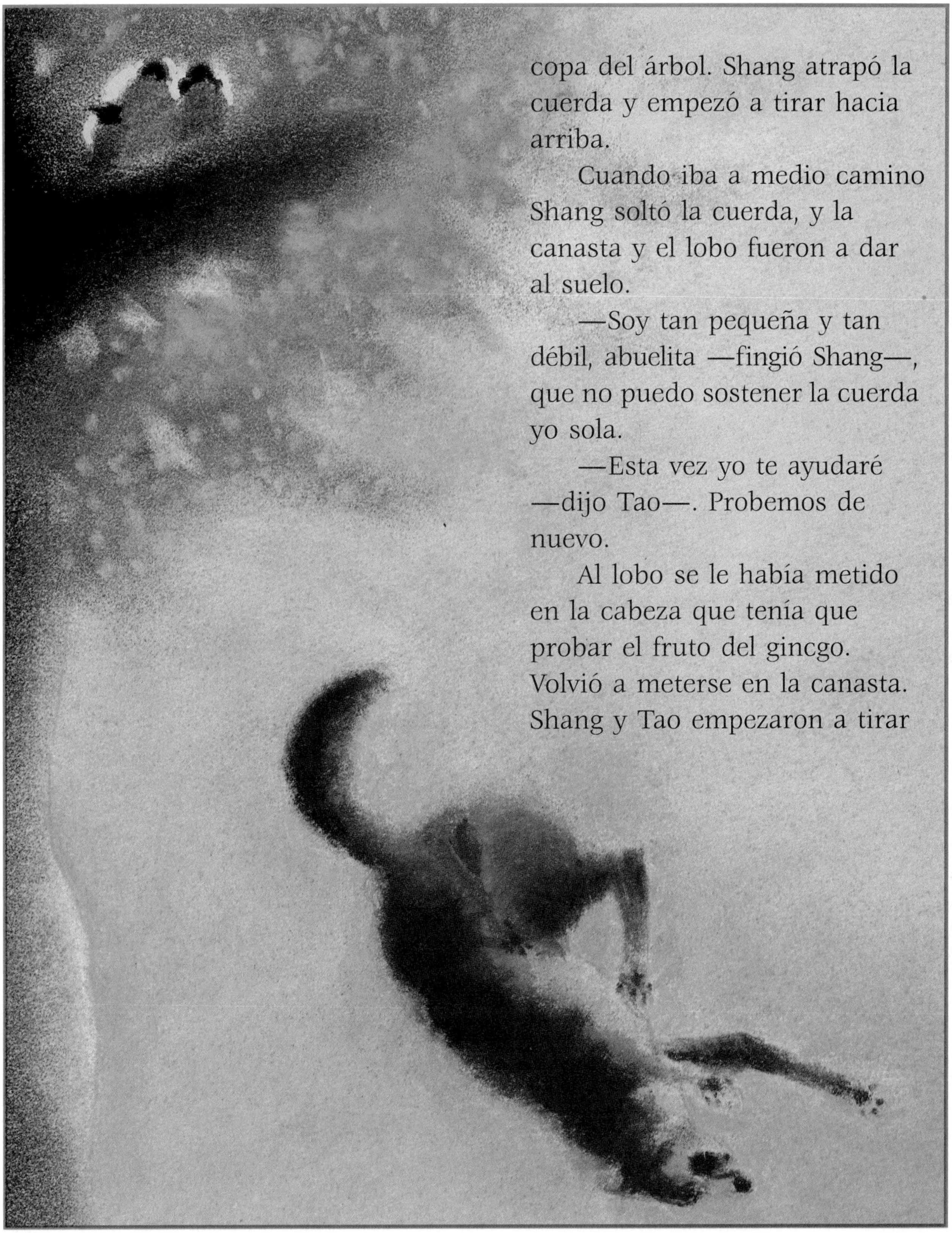

copa del árbol. Shang atrapó la cuerda y empezó a tirar hacia arriba.

Cuando iba a medio camino Shang soltó la cuerda, y la canasta y el lobo fueron a dar al suelo.

—Soy tan pequeña y tan débil, abuelita —fingió Shang—, que no puedo sostener la cuerda yo sola.

—Esta vez yo te ayudaré —dijo Tao—. Probemos de nuevo.

Al lobo se le había metido en la cabeza que tenía que probar el fruto del gincgo. Volvió a meterse en la canasta. Shang y Tao empezaron a tirar

de la cuerda con la canasta, cada vez más alto.

Otra vez soltaron la cuerda y... otra vez el lobo se vino abajo y abajo, y se hizo un gran chichón en la cabeza.

El lobo, furioso, rugía y maldecía.

—No pudimos sostener la cuerda, abuelita —dijo Shang—, pero con un solo fruto del gincgo volverás a quedar como nueva.

—Voy a darles una mano a mis hermanas —dijo Paotze, la menor de las tres—. Ahora sí lo lograremos.

Esta vez las niñas tiraron de la cuerda con todas sus fuerzas, mientras cantaban "yiuu, yioo". La canasta subió y subió, más arriba que la primera vez, más arriba que la segunda vez, y siguió subiendo hasta llegar casi a la punta del árbol. Cuando el lobo estiró la mano, poco le faltaba para tocar la rama más alta.

En ese momento, Shang tosió y las tres soltaron la cuerda. La canasta cayó y cayó y cayó. El lobo no sólo se hizo un chichón en la cabeza, sino que se rompió el corazón en mil pedazos.

—Abueliiitaaa —gritó Shang pero..., no hubo respuesta.

—Abueliiitaaa —gritó Tao pero..., no hubo respuesta.

—Abueliiitaaa —gritó Paotze pero..., tampoco hubo respuesta.

Las niñas bajaron hasta las ramas que estaban justo encima del lobo y vieron que estaba bien muerto. Bajaron del

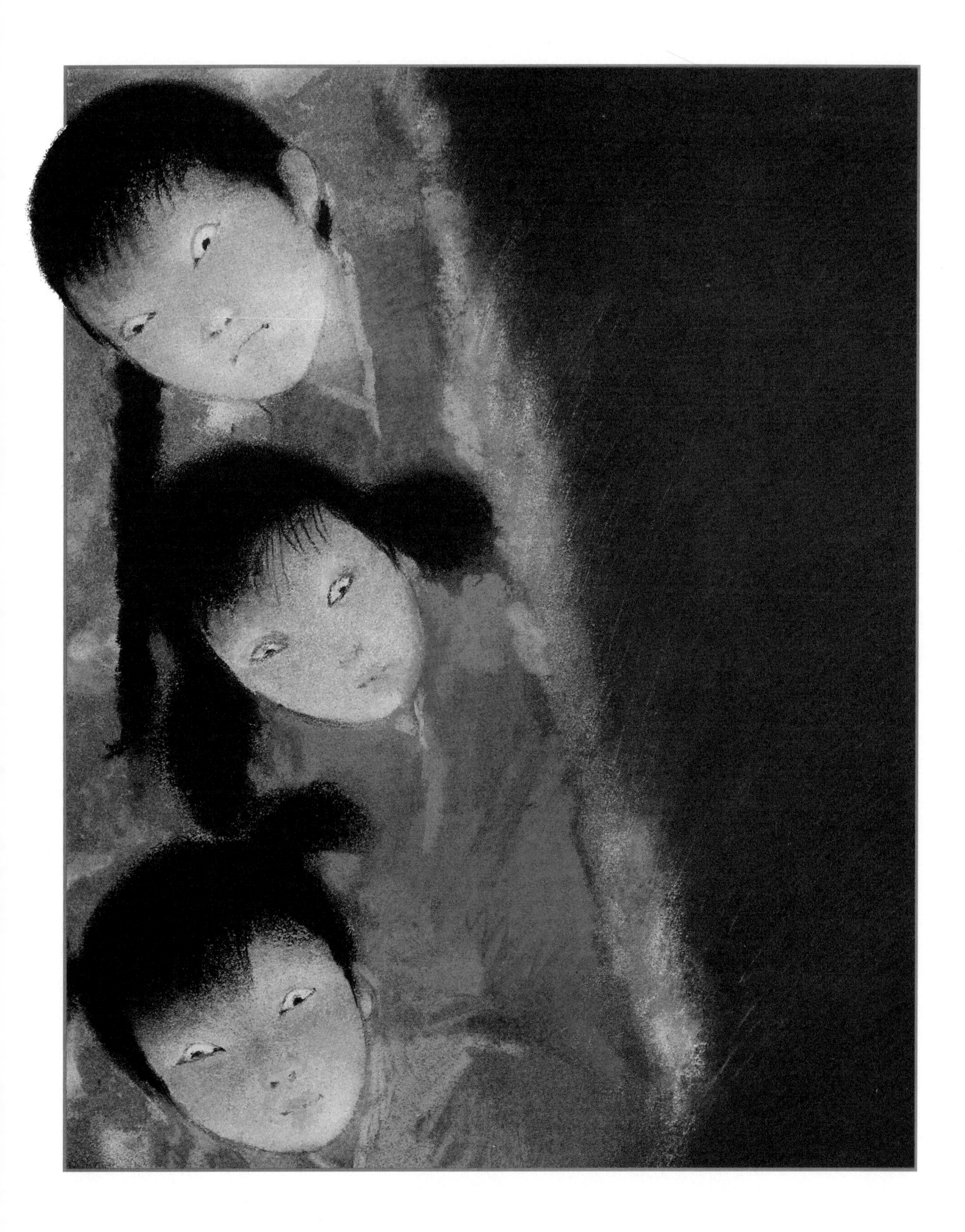

árbol, entraron en la casa, cerraron la puerta, la trancaron y se fueron a dormir en paz.

Al día siguiente, la mamá volvió con canastas de comida, regalo de la verdadera abuelita. Las tres hermanas le contaron la historia de la abuelita que había llegado a visitarlas.

Conozcamos a
Ed Young

Durante su niñez en la China, a Ed Young le gustaba escuchar los viejos cuentos folklóricos de la China que sus padres le contaban. Uno de sus preferidos era el de Abuelita Lobo. Cuando lo escuchaba, nunca se imaginaba que un día lo escribiría en inglés, le haría sus propias ilustraciones y ganaría la Medalla Caldecott.

Young recuerda que cuando era muchacho casi siempre tenía un lápiz en la mano. "Dibujaba todo lo que se me cruzaba por la mente: aviones, gente, un gran barco del que mi padre estaba muy orgulloso, un cazador y un perro de presa que yo inventé."

Cuando se mudó a la ciudad de Nueva York y consiguió un trabajo, siguió dibujando. A la hora de la comida, se sentaba en el Parque Central y dibujaba.

Un día, Young fue a ver al editor de una editorial muy importante. Llevaba una bolsa de compras llena de dibujos de animales hechos en servilletas y en pedazos de papel para envolver.

Desde entonces, Young ha ilustrado más de cuarenta libros, cuatro de los cuales él mismo los escribió.

¡QUÉ CHI
PROBLEMAS
10x6
XYZ
NÚMEROS
PREGUNTAS
PALABRAS

Doctor de Soto
texto e ilustraciones de William Steig
libro en español de María Puncel
Altea, 1982

Un zorro tiene un terrible dolor de muelas y le pide ayuda al Doctor de Soto, el ratón dentista. Éste debe encontrar una forma de ayudar al zorro y, ¡asegurarse de que no se lo coma! ¿Cómo solucionará el problema el ratón Doctor de Soto?

El viejo reloj
Fernando Alonso
ilustraciones de
Agustí Asensio
Alfaguara, 1983

Ramón sale a buscar los números que se le cayeron al viejo reloj. ¿Adónde van los números perdidos? Acompaña a Ramón y verás en qué sitios tan divertidos se encuentran los números desaparecidos.

El tren de Navidad
texto e ilustraciones de Ivan Gantschev
libro en español de
Mario González-Simancas
Ediciones SM, 1983

Es la víspera de Navidad y algo terrible va a suceder. Una enorme roca se ha desprendido y ha caído en la vía del tren. Malina debe pensar en algo para evitar un desastre. ¿Logrará la pequeña niña detener el tren?

Animales: VERDADES Y fábulas

Seymour Simon

ilustraciones de Diane de Groat

Todos sabemos *verdades*, o sea, cosas ciertas, sobre los animales. Sin embargo, al observarlos o al leer cuentos y relatos sobre ellos, podemos creer cosas que no son ciertas. Y quizá, creemos más en las *fábulas* que en las verdades.

En esta selección de ciencias, decide si lo que se dice de cada animal es verdad o fábula. Luego, pasa a la siguiente página y encontrarás lo que descubrieron los científicos.

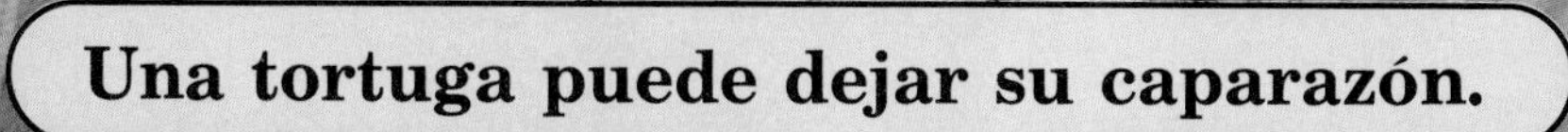
Una tortuga puede dejar su caparazón.

Fábula

Cuando la gente ve en el suelo el caparazón vacío de una tortuga, puede creer que la tortuga lo dejó y se mudó a uno nuevo. Pero eso no es cierto. Una tortuga no puede separarse de su caparazón, de la misma manera que tú no puedes separarte de tus costillas.

El caparazón no es sólo la casa de la tortuga, sino que es parte de su cuerpo. Nunca intentes sacarle el caparazón a una tortuga. Si lo haces, la tortuga morirá. Los caparazones vacíos que encuentras son los restos de tortugas muertas.

Los grillos dicen la temperatura con sus cri-crís.

VERDAD La temperatura del cuerpo de los grillos cambia con la temperatura del ambiente. En un día caluroso, los grillos cantan tan rápido que es muy difícil contar el número de cri-crís. Pero en los días fríos, los grillos cantan mucho más lento. Entonces, se pueden contar fácilmente sus cri-crís.

Algunas personas creen que el número de cri-crís indica la temperatura exacta. Pero esto no es siempre posible. El canto de un grillo depende tanto de la edad y de la salud del grillo, como de la temperatura.

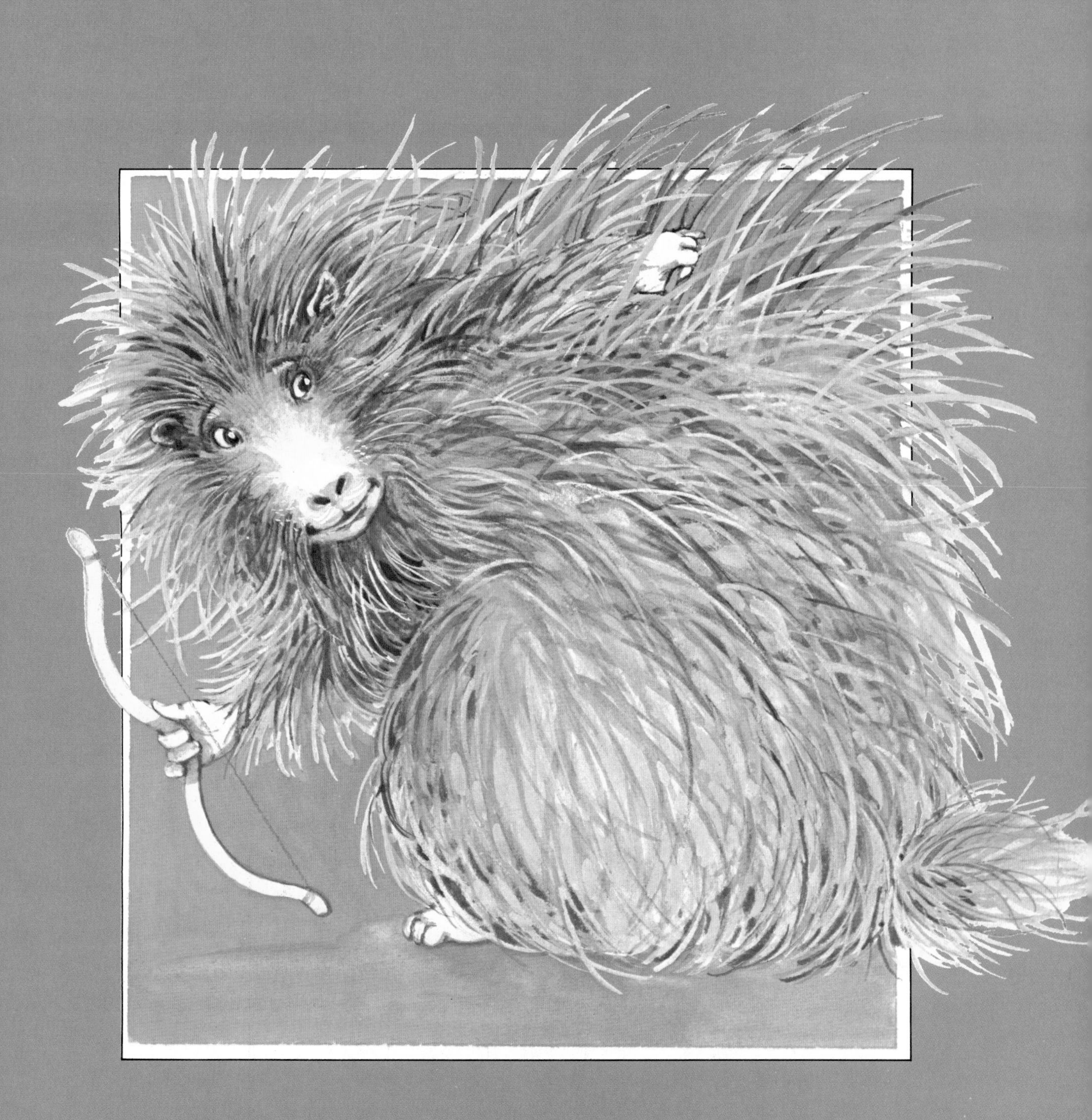

Los puerco espines lanzan sus púas.

Fábula En realidad, el puerco espín no puede lanzar sus púas. Las púas del puerco espín son agudas y terminan en barbillas que parecen ganchitos. La punta de la púa que vemos aquí ha sido ampliada muchas veces. Cuando la púa penetra en un animal, se queda clavada allí.

Los puerco espines usan sus púas para protegerse. Si un animal o una persona lo molesta, el puerco espín eriza las púas, da la espalda a su enemigo y retrocede para atacar. Son muy pocos los animales que molestan por segunda vez a un puerco espín.

Los perros hablan con la cola.

VERDAD Sabemos que los perros no hablan con palabras, pero con la cola pueden decirnos cómo se sienten. Si un perro mueve la cola de un lado para otro, es porque está contento y quiere jugar. Pero si un perro mueve la cola de arriba abajo, es porque hizo alguna travesura y cree que lo van a castigar.

Si un perro tiene la cola parada, ten cuidado. Ésa puede ser una señal de ataque. No corras, sólo retrocede lentamente.

Los avestruces esconden la cabeza en la arena.

Fábula

Hay una creencia muy conocida que dice que los avestruces meten la cabeza en la arena cuando están asustados. Esta creencia puede haber comenzado porque, cuando el avestruz ve a un enemigo, a veces se echa al suelo y estira el cuello hacia adelante.

De esta manera es más difícil que el enemigo lo vea. A la persona que está observando podría parecerle que el avestruz ha metido la cabeza en la tierra.

El avestruz no será muy inteligente, pero no tiene nada de tonto. Si un enemigo se le acerca, el avestruz se levanta del suelo y sale corriendo.

Las cabras comen casi de todo.

VERDAD Las cabras comen casi todo lo que encuentran. Hasta parece que comen latas. Pero, en realidad no comen latas, sino que mastican los rótulos que tienen las latas para sacarles la goma.

Aunque las cabras coman cuerda y papel, preferirían comer frutas, verduras, hierbas y hojas. Las cabras no son realmente “un cubo de basura” como creen algunas personas.

CONOZCAMOS A

SEYMOUR SIMON

¿Se te ocurren muchas preguntas acerca del mundo? ¿Te preguntas por qué en el otoño algunas hojas se ponen rojas y otras amarillas? ¿Te rompes la cabeza pensando cómo hace para flotar un barco pesado? Al escritor de ciencias Seymour Simon le gusta este tipo de preguntas. "Las preguntas que se me ocurren a mí y las que me hacen los niños son las que me hacen escribir libros de ciencias", dice el autor.

Seymour Simon fue maestro de ciencias durante veintitrés años. (¡Simon debe haber contestado un millón de preguntas en esos años!) Ahora escribe libros todo el tiempo. En su biblioteca tiene apilados cerca de 150 libros que llevan su nombre en la cubierta. Más de 50 de esos libros han recibido premios de la Asociación Nacional de Maestros de Ciencias.

Para poder responder a las preguntas de sus libros, Simon dice que ha "coleccionado piedras, cavado debajo de troncos podridos, caminado por pantanos". También el autor ha compartido su casa con gusanos de tierra, gerbos, hormigas y grillos. Hablando de sus libros dice: "A veces doy respuestas, pero por lo general sugiero una actividad o un experimento que le van a permitir al niño hallar la respuesta al hacer la prueba".

¿EN S

¿Qué le dijo la vaca al gato?

¡Tan chiquito y con bigotes!

¿Por qué el león lleva melena?

¡Porque no encuentra quien se la corte!

ERID!

¿Cuál es el animal que menos ve?

¡La venada!

¿Qué le dijo un gusano a otro?

¡Vamos a darle la vuelta a la manzana!

ADIVINA, ADIVINADOR

1

Llevo mi casita al hombro,
camino sin tener patas
y voy marcando mi huella
con un hilito de plata.

Tradicional

2

¿Qué cosa es
que silba sin boca,
corre sin pies,
te pega en la cara
y tú no lo ves?

Tradicional

3

De la tierra voy al cielo
y del cielo he de volver;
soy el alma de los campos,
que los hace florecer.

Tradicional

4

Una casa con tres vigas;
cada viga seis gallinas;
cada gallina diez pollos:
Entre picos y patas,
¿cuántos son por todos?

Tradicional

(**Respuestas: 1.** El caracol **2.** El viento **3.** La lluvia **4.** 198 picos, 396 patas)

TRABALENGUAS

El coco

—Compadre, cómpreme un coco.
—Compadre, coco no compro,
que el que poco coco come,
poco coco compra.
Yo, como poco coco como,
poco coco compro.

Tradicional

LOS TRES HIJOS DEL REY
Mireya Cueto
Tomado del Libro de los Exemplos
del Infante Don Juan Manuel

Personajes

Rey Moro
Jamet, hijo mayor
Omar, segundo hijo
Asad, hijo menor
Consejero
Ayuda de cámara
Sirviente uno
Sirviente dos y más, si se quiere

Primer acto

(Al abrirse el telón aparece el rey moro en camisón. Está recostado entre cojines. Se sienta y se despereza con mucho trabajo. Está viejo y achacoso. Tose varias veces. Tocan a la puerta.)

Rey: Adelante... adelante.

Consejero: *(Entra.)* ¿Cómo ha pasado la noche, Su Majestad?

Rey: Mal... mal..., mi buen consejero. Te iba a llamar. Me alegro de verte. La tos no me dejó dormir. Tampoco esta preocupación que tengo.

Consejero: ¿Cuál es, Majestad?

Rey: Amanezco cada día más viejo y achacoso... y muy cansado. Es hora de que uno de mis hijos gobierne el reino en mi lugar.

Consejero: *(pensativo)* Cualquiera de los tres sería un buen rey. Los tres son buenos, inteligentes, sanos y valientes.

Rey: Ése es el problema: ¿Cómo saber cuál de los tres gobernará mejor?

(Los dos se quedan pensativos un rato, sin hablar. Se rascan la cabeza, caminan de un lado para otro como leones enjaulados.)

Consejero: *(feliz)* ¡Tengo una idea! ¡Una buena idea, Majestad!

(Los dos se secretean. Con sus gestos y ademanes, el rey muestra que aprueba y que está satisfecho. Sale el consejero. El rey toca una campanita. Aparece el sirviente número uno y hace una gran reverencia juntando las palmas de las manos cerca de su cara, al estilo oriental.)

Rey: Hazme el favor de decirle al príncipe Jamet, el mayor de mis hijos, que venga enseguida a ayudarme a vestir.

(El sirviente sale de escena después de hacer una reverencia. El rey espera. Se sienta, se levanta, mira hacia la puerta, se pasea de un lado a otro cada vez más impaciente. Al cabo de un rato Jamet aparece corriendo.)

Jamet: ¡Discúlpame, padre mío, se me hizo tarde porque...!
El Rey: *(Interrumpe.)* Bueno, bueno, basta de disculpas y ayúdame a vestir.
Jamet: Sí, sí, enseguida... *(Grita.)* ¡Ayuda de cámara!

(Aparece en escena el ayuda de cámara. Hace una gran reverencia.)

¡Anda, trae pronto el traje del rey mi padre!

Ayuda de cámara: Pero... ¿cuál de todos?

Jamet: *(dudoso)* Pues... pues... déjame preguntar. *(Va hacia el rey.)* ¿Qué traje quieres ponerte hoy?

Rey: El traje de brocado azul con adornos amarillos.

Jamet: *(corriendo hacia el ayuda de cámara)* ¡Que traigan el traje azul de brocado con adornos amarillos para el rey!

Ayuda de cámara: Está bien, príncipe Jamet. *(Hace bocina con las manos y grita.)* ¡Sirviente número uno!

(Aparece el sirviente número uno y hace una gran reverencia.)

Ordena que traigan los adornos amarillos para el traje de brocado azul del rey.

(El sirviente número uno hace una reverencia. Forma bocina con las manos y grita.)

Sirviente 1: ¡Sirviente número dos!

(Sirviente número dos aparece. Hace una reverencia.)

¡Ordena que traigan el traje para el rey azul de brocado con amarillos adornos!

(Mientras, el rey bosteza, muestra impaciencia y aburrimiento. El ayuda de cámara lo va vistiendo a medida que recibe las prendas de vestir, completamente diferentes de las que pidió.)

Rey: *(muy impaciente)* ¡Se ha hecho tardísimo, hijo mío! Tendrás que recorrer tú solo la ciudad. Cuando regreses, me contarás lo que viste.

Jamet: Sí, padre mío, así lo haré.

Rey: Ordena que te den un buen caballo.

(Jamet hace una reverencia y sale de escena. Luego sale el rey cabizbajo. Para dar la idea de que ha transcurrido un día, pasa un niño por toda la escena llevando un gran sol en la mano. Camina despacio.)

Segundo acto

(Al abrirse el telón, está el rey en camisón, sentado entre los cojines. Tocan.)

Rey: Adelante.

(Entra Jamet muy cansado y se sienta en el taburete.)

Jamet: Buenas noches, padre mío. ¡Vengo tan cansado!
Rey: Dime: ¿Cómo te fue?, ¿qué viste?, ¿qué oíste?
Jamet: ¡Me divertí tanto! A mi paso toda la gente gritaba: "¡Que viva el hijo de nuestro buen rey!" Los músicos tocaron todo el tiempo y los grandes del reino me ofrecieron un banquete.
Rey: *(Bosteza.)* Bien, hijo mío, puedes retirarte. Estás cansado de tanta fiesta y yo no me siento bien.
Jamet: Que descanses, querido padre.

(Hace una reverencia y ademán de irse.)

Rey: ¡Ah! Pídele a tu hermano Omar que venga mañana temprano para que me ayude a vestir.
Jamet: Sí, padre mío. *(Sale de escena.)*

(El rey se recuesta en los cojines y duerme. Cruza la escena un niño con una luna en la mano. Camina despacio y de puntitas. Apenas desaparece la luna, otro niño asoma el sol en una orilla de la escena. El rey despierta, se sienta, tose, se levanta, ve por la ventana.

Va hacia la puerta. Da vueltas con impaciencia. Omar entra corriendo.)

Omar: ¡Discúlpame, padre mío, anoche no dormí bien y no pude levantarme!

Rey: No perdamos más tiempo y ayúdame a vestir.

Omar: *(Grita.)* ¡Ayuda de cámara, ven pronto! ¡Trae la ropa del rey mi padre!

Ayuda de cámara: *(Aparece, hace una reverencia.)* Pero ¿qué ropa he de traer?

Omar: ¿Qué traje deseas ponerte hoy?

Rey: Me gustaría el traje verde con adornos dorados.

(Aquí se hace el mismo juego para todas las prendas: cada quien va cambiando de lugar una o varias palabras en cada una de las órdenes. El ayuda de cámara va vistiendo al rey a medida que van llegando las prendas, completamente distintas de las que pidió.)

Rey: ¡Ay, hijo mío! Se ha hecho tan tarde que no podré acompañarte. Ve tú solo. A la noche me contarás lo que viste.

Omar: Así lo haré, padre mío.

(Hace una reverencia y se va. El rey sale y atraviesa la escena un niño llevando el sol.)

Tercer acto

(Al abrirse el telón, está el rey en camisón, recostado en los cojines. Tocan.)

Rey: Adelante.

Omar: *(Entra, saluda al rey, se sienta en el taburete.)* Bueno, estoy al fin aquí para contarte lo que vi en la ciudad, capital del reino.

Rey: Te escucho con gusto, hijo mío.

Omar: Los grandes del reino me llevaron a visitar las fortalezas que rodean la ciudad. Después fuimos al muelle, donde de un barco descargaron las más ricas telas que puedas imaginar, y las más bellas joyas traídas de lejanas tierras. Recibí muchos regalos para ti y para mis hermanos.

Rey: *(Bosteza.)* Bien, bien, Omar, me alegro de que estés contento. Ahora ve a descansar y no olvides decirle a tu hermano menor que venga mañana temprano para ayudarme a vestir.

Omar: Está bien, padre mío. Que descanses. *(Hace una reverencia y se va.)*

(El rey se recuesta y ronca. Atraviesa la escena un niño llevando la luna. Otro niño asoma el sol. Entra Asad, el hijo menor del rey, de puntitas. Se sienta junto al rey que, al cabo de un momentito, despierta.)

Rey: Veo que madrugaste, mi querido Asad. Me hubieras despertado.

Asad: ¿En qué puedo servirte, padre mío?

Rey: Estoy ya tan viejo, que necesito ayuda para vestirme.

Asad: Es un gusto para mí ayudarte. ¿Qué traje quieres ponerte hoy? *(Saca un papel y un lápiz para apuntar todas las órdenes.)*

Rey: Hoy me gustaría usar el traje rojo con adornos dorados.

Asad: ¿Y qué turbante quieres?, ¿qué zapatos?

Rey: Pues el turbante blanco con rayitas azules y las calzas verdes.

Asad: ¿Qué caballo escogerás para tu paseo por la ciudad?

Rey: El negro venido de Arabia que me regaló mi hermano.

Asad: *(Llama con las palmas de las manos.)* ¡Ayuda de cámara! *(Entra el ayuda de cámara.)* Ten la amabilidad de traer toda la ropa del rey mi padre tal como está apuntado en esta lista *(Le entrega el papel.)* y que nadie se equivoque. *(Sale el ayuda de cámara y reaparece con la ropa. Se oye un relincho. Asad viste al rey.)*

Asad: Yo mismo vestiré a mi padre. *(al ayuda de cámara)* Puedes retirarte. *(Acaba de vestir al rey.)* Padre mío, estás listo para salir. El caballo espera en el patio. *(relincho)*

Rey: He decidido que visites tú la ciudad en mi lugar, porque yo prefiero pasear un poco por los jardines del alcázar.

Asad: Lo haré con gusto, padre mío.

(Hace una reverencia y se va. El rey sale detrás de Asad. Atraviesa la escena el niño que lleva el sol. El rey entra a escena y se sienta en el estrado. Tocan a la puerta.)

Rey: Adelante, hijo mío.

*(Entra Asad muy cansado y se sienta junto al rey en el

taburete después de saludarlo. Está vestido como un mendigo.)

Rey: Te veo muy cansado y, además, ¿por qué andas vestido de ese modo?

Asad: Estoy cansadísimo de tanto caminar.

Rey: ¿Qué? ¿No usaste mi caballo negro?

Asad: No, querido padre, quise ir a pie y vestido como el más humilde de tus criados. Así nadie me reconoció y pude meterme por todas partes. Abrí los ojos y los oídos: hablé con mendigos, artesanos, vendedores y..., estoy muy triste.

Rey: Anda cuenta, Asad, sigue contando.

Asad: Estoy triste porque tu reino es menos feliz de lo que parece: el que trabaja más es el que menos tiene. Vi gente sin oficio vagando por las calles.

Rey: Sigue tu relato, Asad.

Asad: Supe que los grandes del reino acumulan en sus graneros el trigo de todo el año, para venderlo más caro en el invierno..., y...

Rey: ¡Basta, hijo mío, basta! Ya sabía yo todo eso, pero estoy demasiado viejo y poco puedo hacer. Tú eres joven y sabrás gobernar porque estás dispuesto a servir. Tú serás mi sucesor. Reinarás desde mañana para que yo pueda morir tranquilo.

(Se abrazan.)

Telón

Conozcamos a Mireya Cueto

¡Arriba el telón!

Ésta es una de las frases preferidas de Mireya Cueto, una de las primeras personas que comenzó a escribir teatro para niños en México.

Mireya Cueto ha escrito *La boda de la ratita y más teatro–cuentos*. En este libro está la obra de teatro "Los tres hijos del rey", que es una adaptación de una obra clásica española.

La escritora quiere que los niños jueguen al teatro y que se diviertan. Primero leyendo en voz alta y entre varios los "Teatro Cuentos", como ella llama a sus obras. Después, representándolos. Y en esta representación les pide a los niños que inventen algo, que le quiten algo a la obra. O que le cambien el final, si no les gusta. Para Mireya Cueto todo eso vale en el juego de hacer teatro.

LA BODA DE LA RATITA Y MÁS TEATRO-CUENTOS
Mireya Cueto

Fabulita

Pisó un trozo de melón
el crítico Torremocha
y dio en la calle de Atocha
un soberbio revolcón.
Furioso como un león
y no sabiendo qué hacer,
cuando en pies se llegó a ver,
quiso la sucia tajada
estrujar de una patada...
y otra vez volvió a caer.

Por estas y otras razones,
yo tengo en tales cuestiones
mi opinión particular:
que no se debe pisar
ni siquiera a los melones.

Manuel del Palacio

CONTENIDO

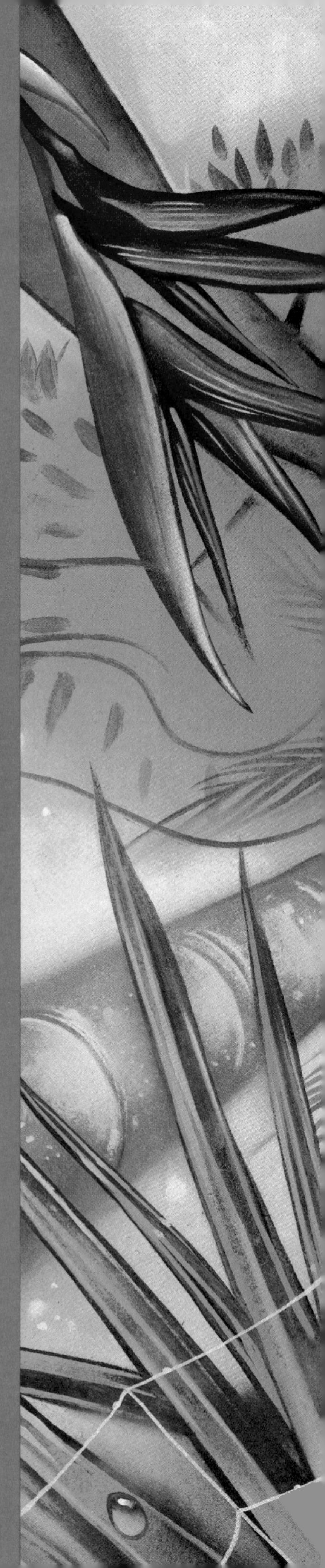

UNIDAD
2
CON OTROS OJOS

Lupa

Lupa,
camino hacia la grandeza
de las pequeñas cosas.

CLARISA RUIZ

CONOZCAMOS A *Chris Van Allsburg*

Si vieras hormigas en la cocina, ¿qué pensarías? Probablemente pienses: "¡Qué asco!", "¡Qué interesante!" o "¡Qué graciosas!".

Cuando Chris Van Allsburg vio dos hormigas en su cocina, pensó: "Si yo fuera una hormiga que mirara desde adentro de un tomacorrientes, vería los agujeros por los que entra la luz como puertas de 15 pies de largo abiertas en el espacio". Así nació la idea de escribir el cuento "Dos hormigas traviesas".

Chris Van Allsburg con algunas de sus esculturas

El talento que tiene Chris Van Allsburg para mirar el mundo de una manera diferente le ha permitido ganar el premio más importante que se otorga en los Estados Unidos a los libros infantiles con ilustraciones: la Medalla Caldecott. Premio que ha ganado no sólo una sino dos veces: por *Jumanji* en 1982 y por *El Expreso Polar* en 1986.

Esta manera de mirar el mundo también le ha hecho ganar muchos admiradores.

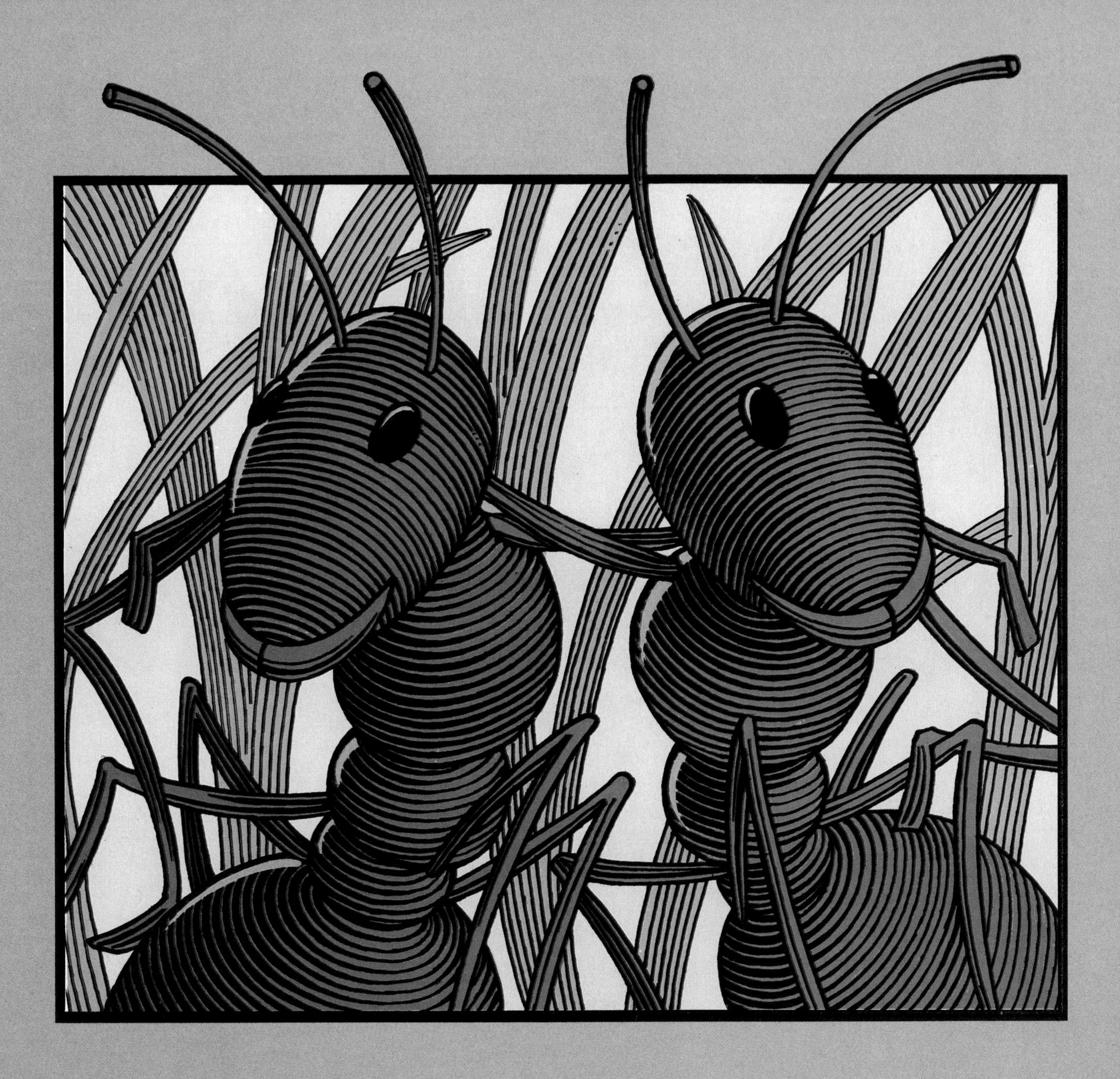

DOS HORMIGAS TRAVIESAS

CHRIS VAN ALLSBURG

Por los túneles del mundo de las hormigas las noticias corrían rápidamente. Una hormiga exploradora había vuelto con un descubrimiento maravilloso: un bellísimo y brillante cristal. Cuando la hormiga exploradora ofreció el cristal a la hormiga reina, ésta primero le dio una probadita y luego se comió rápidamente todo el cristal.

Le pareció la cosa más exquisita que había probado en toda su vida. Nada en el mundo la haría más feliz que comer más, mucho más de esta delicia. Las demás hormigas comprendieron. Anhelaban recolectar más cristales para la reina porque ella era la madre de todas ellas. El bienestar del hormiguero dependía de la felicidad de la hormiga reina.

Emprendieron la marcha cuando ya atardecía. Caían sombras largas sobre la entrada del reino de las hormigas. Una tras otra, seguían a la hormiga exploradora. Ésta les había avisado que el viaje era largo y peligroso, pero que había muchos cristales donde se había encontrado el primer cristal.

Las hormigas iban en fila por el bosque que rodeaba su hogar subterráneo. Empezaba a caer la noche y el cielo se hacía cada vez más oscuro. El camino que tomaron daba vueltas y más vueltas. Cada curva las llevaba más adentro del bosque.

Las hormigas se detuvieron ansiosas más de una vez para ver si oían el ruido de las arañas hambrientas. Pero lo único que oían era el canto de los grillos que resonaba como truenos lejanos por el bosque.

Había rocío en las hojas de arriba. De repente, enormes gotas frías empezaron a caer sobre la fila de hormigas. Por arriba pasó una luciérnaga que, por un instante, iluminó el bosque con una chispa cegadora de luz azul verdosa.

A la orilla del bosque se alzaba una montaña. Las hormigas miraron hacia arriba, sin poder divisar el pico. Parecía llegar hasta el mismo cielo. Pero no se detuvieron. Por un costado treparon, cada vez más alto.

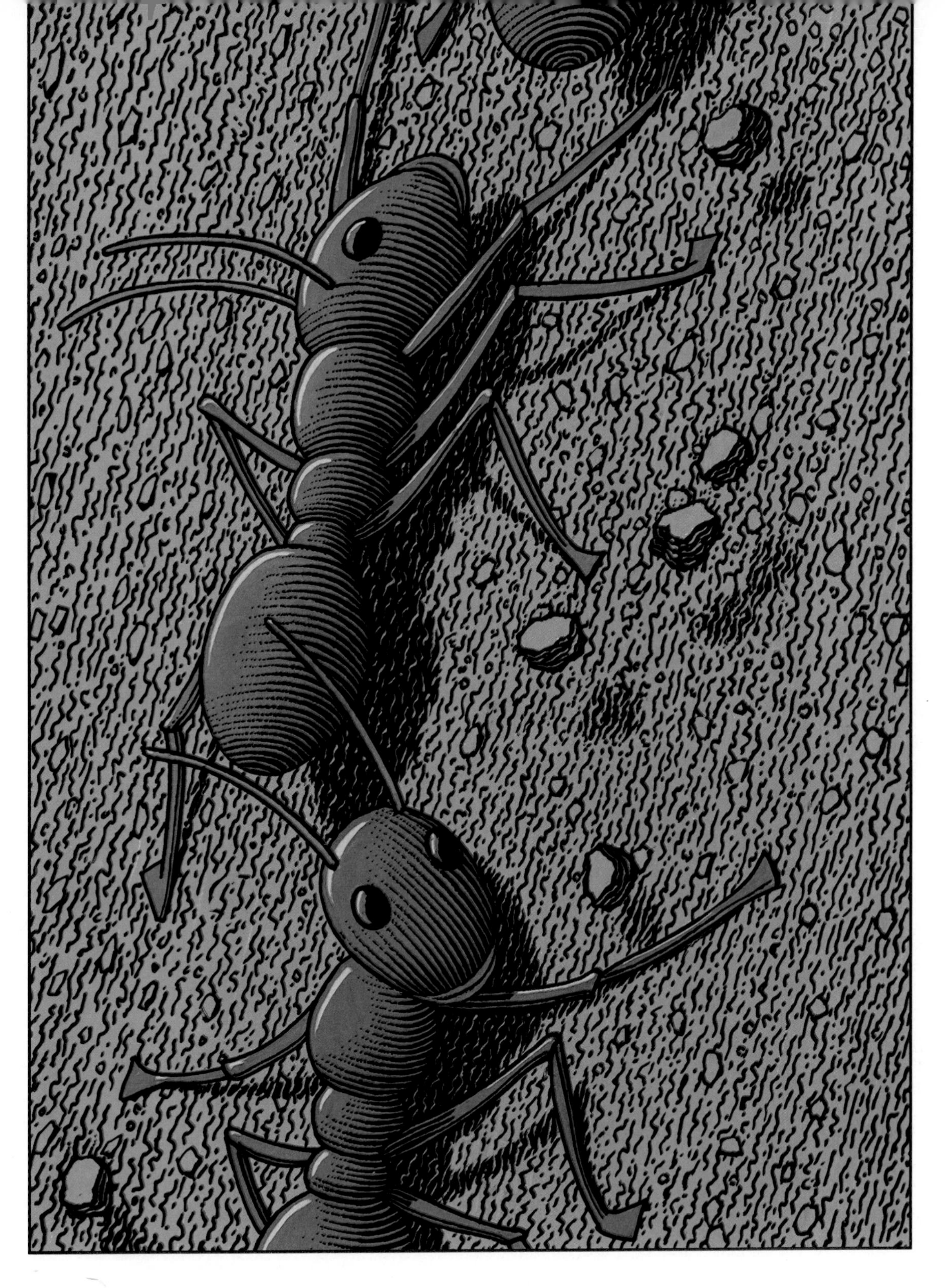

Silbaba el viento a través de las grietas de la ladera de la montaña. Las hormigas sentían que la fuerza del viento doblaba sus finas antenas. Las patitas se les ponían más y más débiles mientras avanzaban penosamente hacia arriba. Por fin dieron con una salida y se metieron por un túnel estrecho.

Al salir del túnel, las hormigas se encontraron con un mundo desconocido. Los olores de siempre —los olores a tierra, a hierba y a plantitas podridas— habían desaparecido. Ya no había más viento, pero lo que les parecía más raro todavía era que había desaparecido el cielo.

Atravesaron superficies lisas y brillantes. Luego siguieron a la hormiga exploradora, hacia arriba por una pared curva que parecía vidrio. Habían llegado a la meta. Desde lo alto de la pared, divisaron un mar de cristales. Una por una las hormigas bajaron hacia el brillante tesoro.

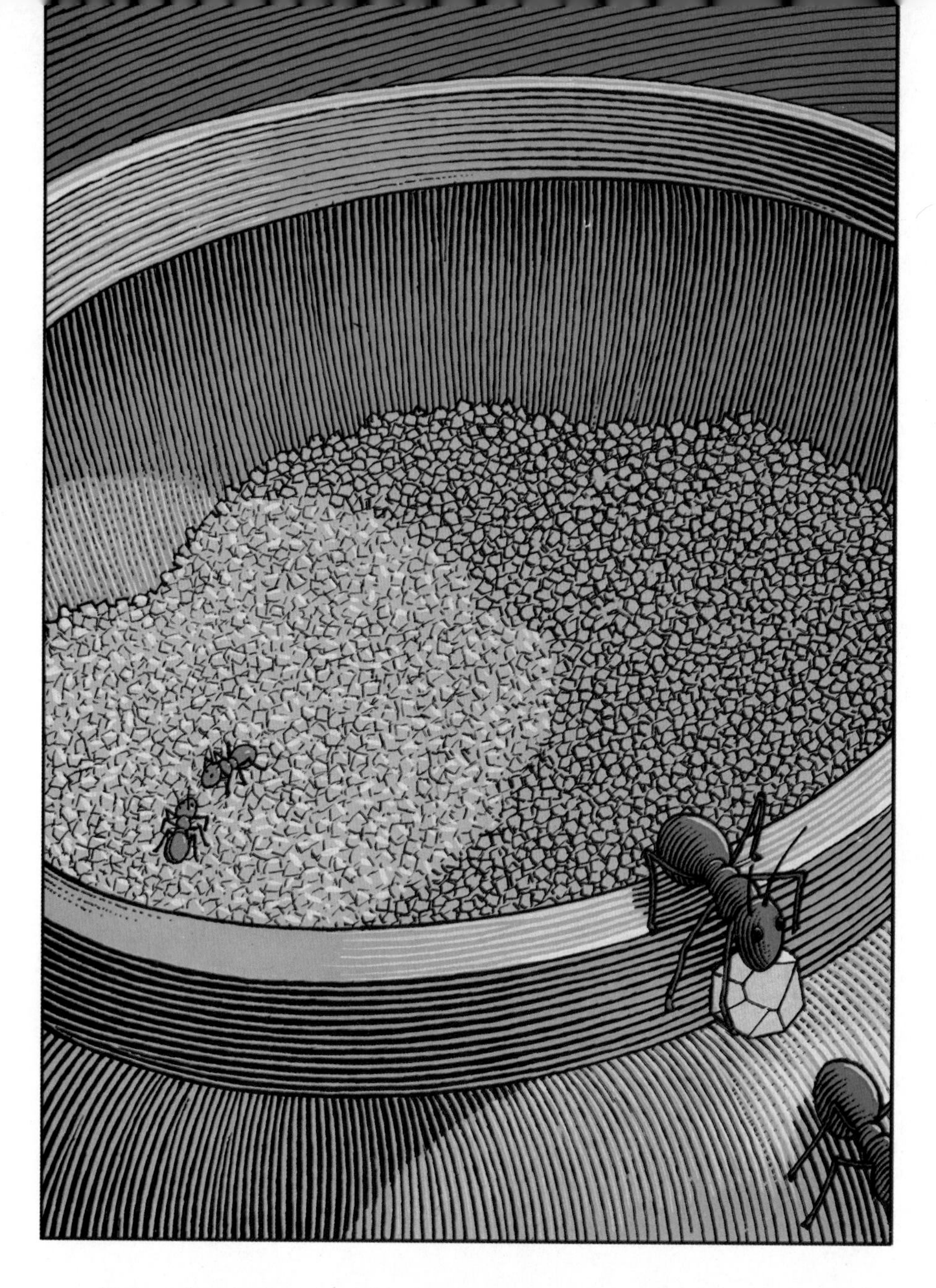

Rápidamente cada hormiga escogía un cristal y luego se daba vuelta y empezaba el regreso a casa. Este sitio extraño ponía nerviosas a las hormigas. Se marcharon tan de prisa que nadie se dio cuenta de que se quedaban atrás dos hormiguitas.

—¿Para qué regresar? —preguntó una—. No estamos como en casa, pero ¡hay tantos cristales!

—Tienes toda la razón —respondió la otra hormiguita—. Si nos quedamos aquí podremos comer de esta golosina toda la vida.

De modo que se comieron un cristal tras otro hasta que no pudieron más y se quedaron dormidas.

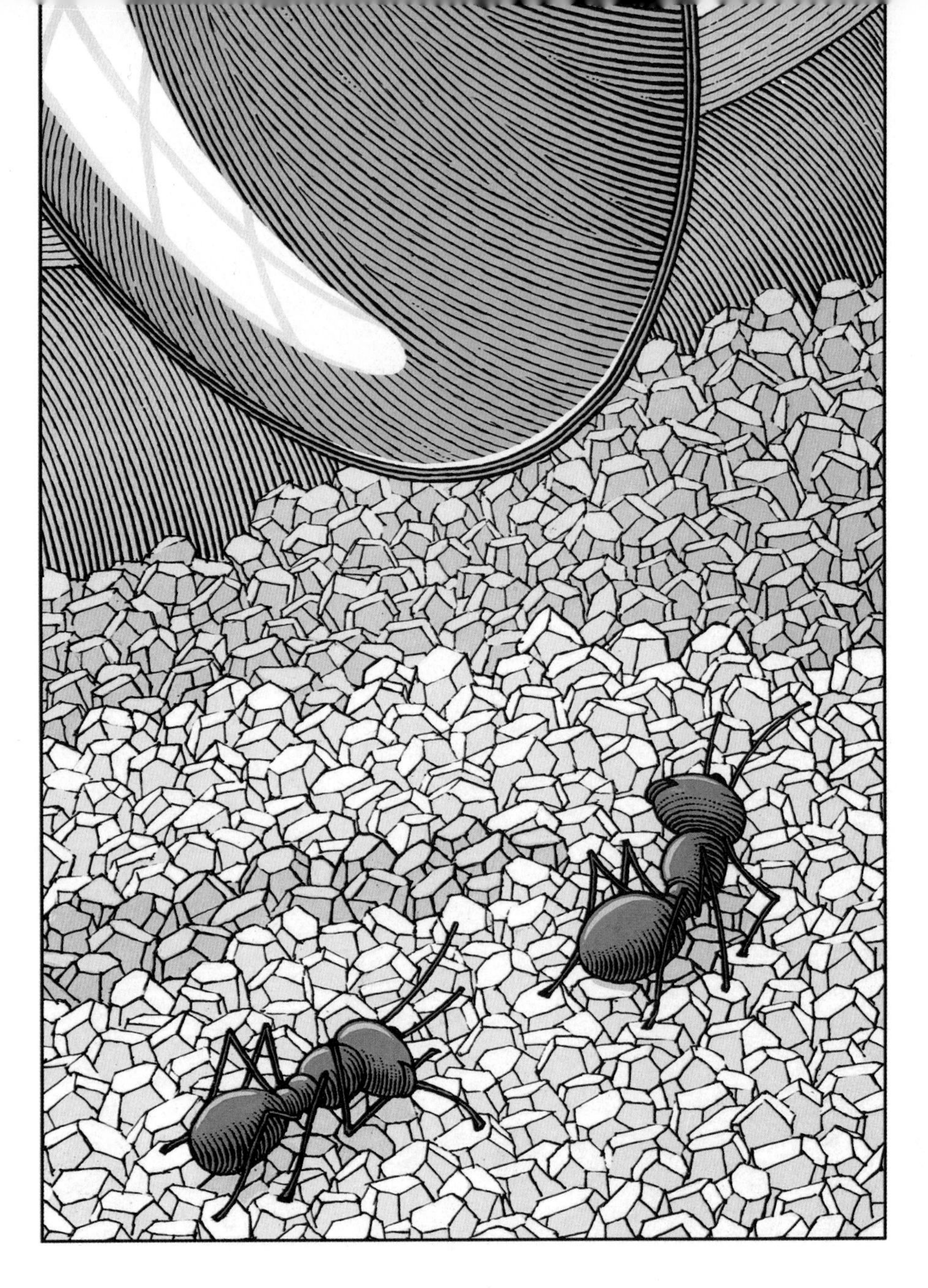

Amanecía. Las hormiguitas dormían sin enterarse de los cambios que ocurrían en su nuevo hogar. Por encima de ellas flotaba una pala plateada gigantesca que, de repente, se hundió en los cristales y se llevó por los aires no sólo a los cristales, sino también a las hormiguitas.

Ya estaban las hormiguitas completamente despiertas cuando la pala se volteó y las dejó caer desde una altura espantosa. Después de rodar por el aire en una nevada de cristales, cayeron en un lago hirviente de color oscuro.

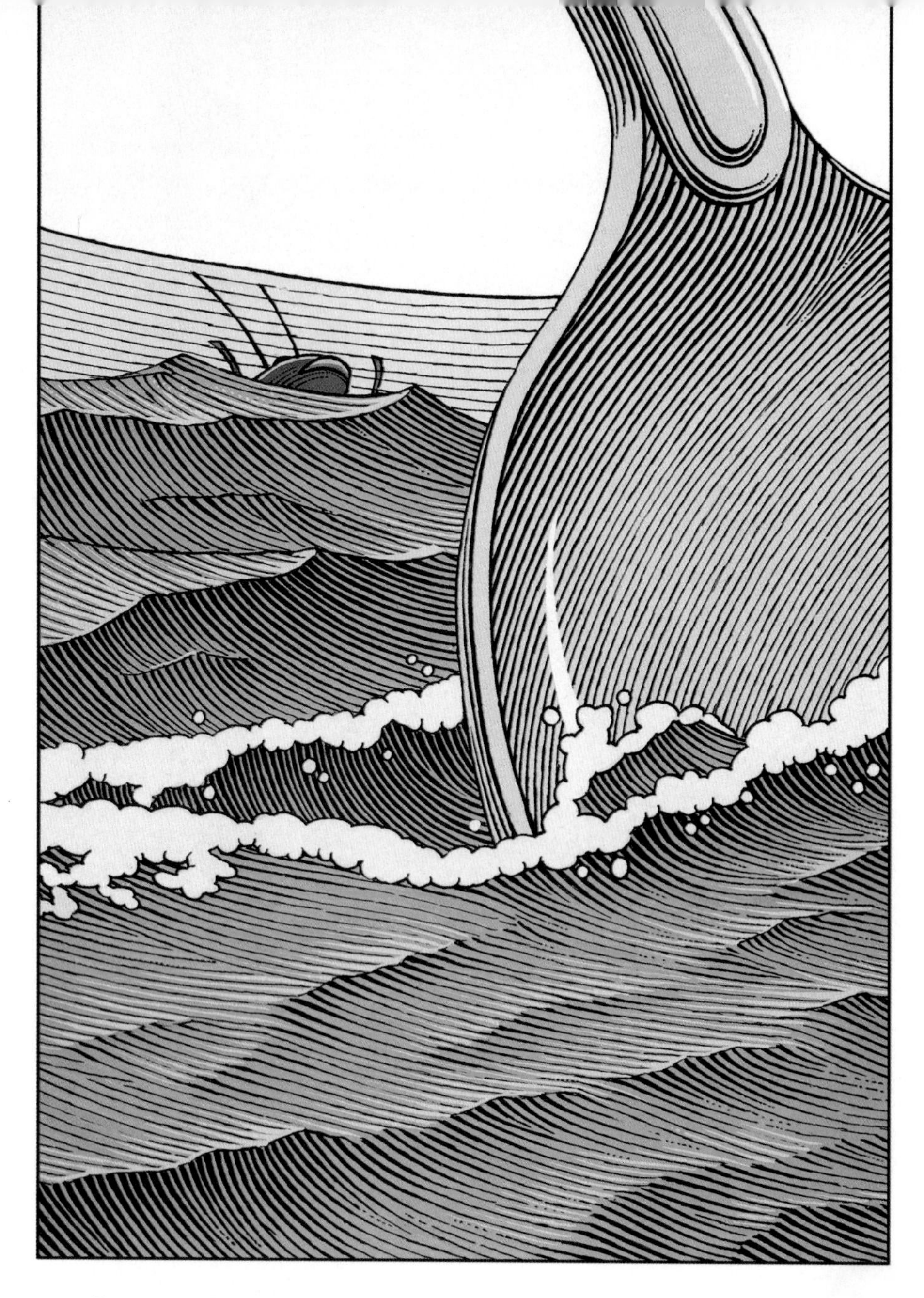

Luego, la pala gigantesca revolvió violentamente las aguas. Esto provocó unas olas enormes que rompían contra las hormiguitas. Chapotearon con todas sus fuerzas para mantener las cabecitas fuera del agua. Sin embargo, la pala no dejaba de agitar el caliente líquido de color oscuro.

De tanto dar vueltas, la pala creó un remolino que chupaba a las hormiguitas más y más hacia el fondo. Las dos contuvieron la respiración y así pudieron salir a la superficie, jadeando y echando chorritos de aquella agua fea y amarga.

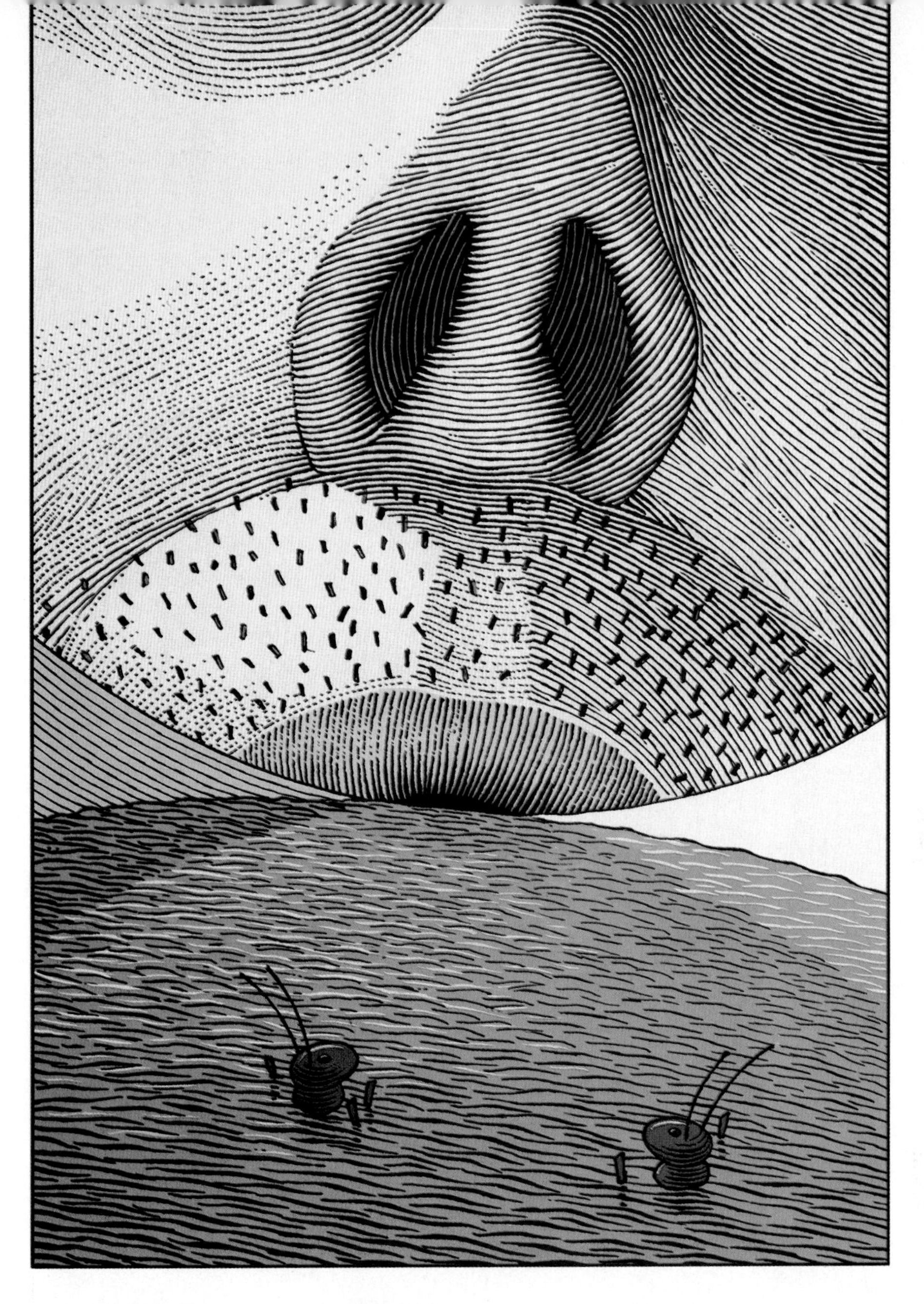

El lago se inclinó y comenzó a vaciarse en una cueva. Las hormiguitas escuchaban el torrente de agua, y sentían que las empujaban hacia un agujero negro. De pronto, desapareció la cueva y se calmó el lago. Nadaron hacia la costa y vieron que las orillas del lago eran muy empinadas.

Bajaron con prisa los muros del lago. Atemorizadas, buscaron un refugio. Estaban muy preocupadas. Temían que la pala gigantesca las recogiera de nuevo. Cerca de ahí encontraron un enorme disco redondo, con agujeros para esconderse.

Pero en cuanto se metieron, el escondite se elevó, se inclinó y luego bajó a un lugar oscuro. Cuando salieron de los agujeros se encontraron rodeadas de un raro brillo rojo. Además, les parecía que la temperatura aumentaba a cada segundo.

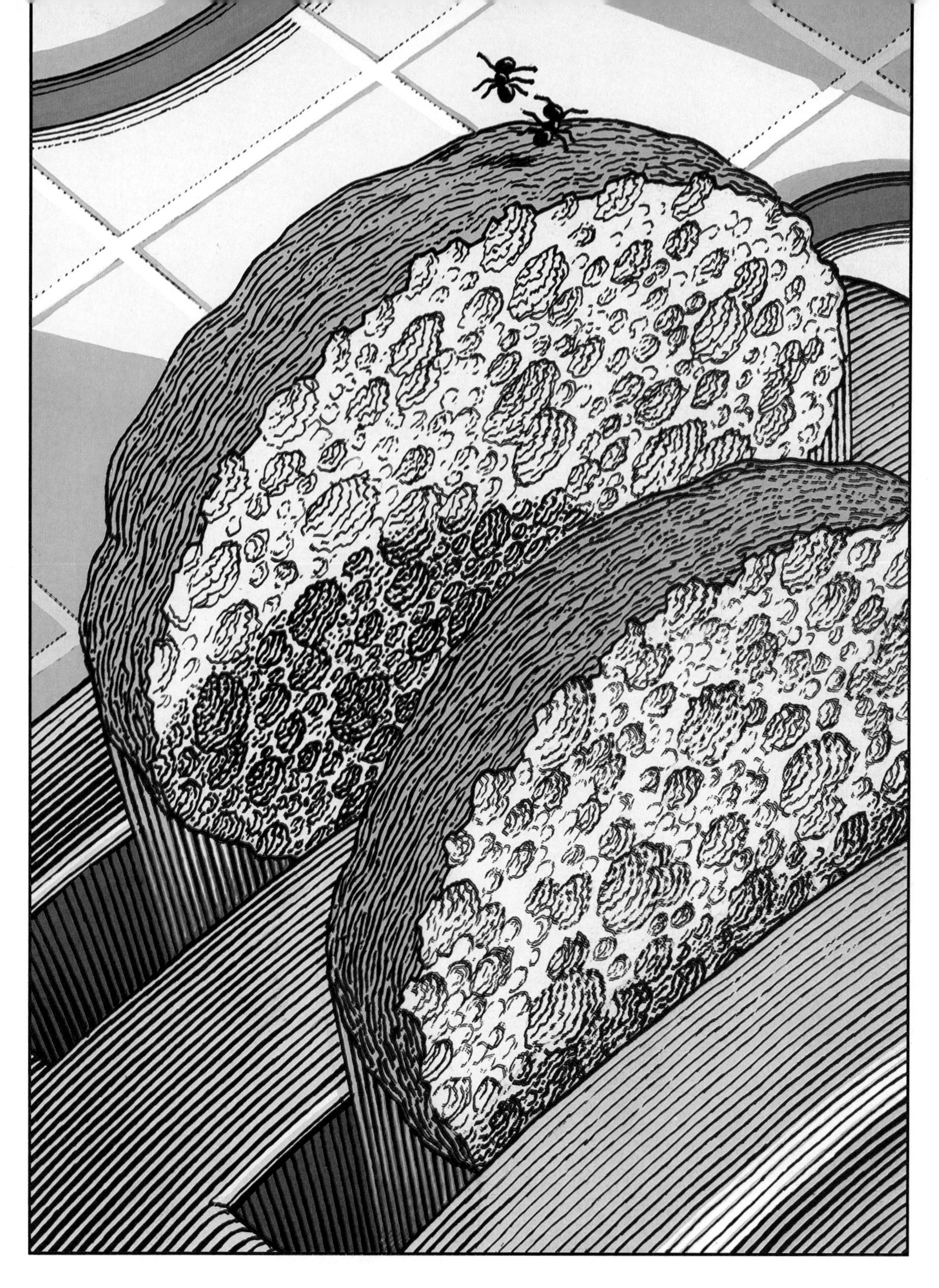

Al rato, hacía un calor tan tremendo que las hormiguitas pensaban que pronto iban a cocerse. Pero, de repente, se lanzó como un cohete el disco en donde estaban paradas, y las dos hormiguitas chamuscadas salieron volando por los aires.

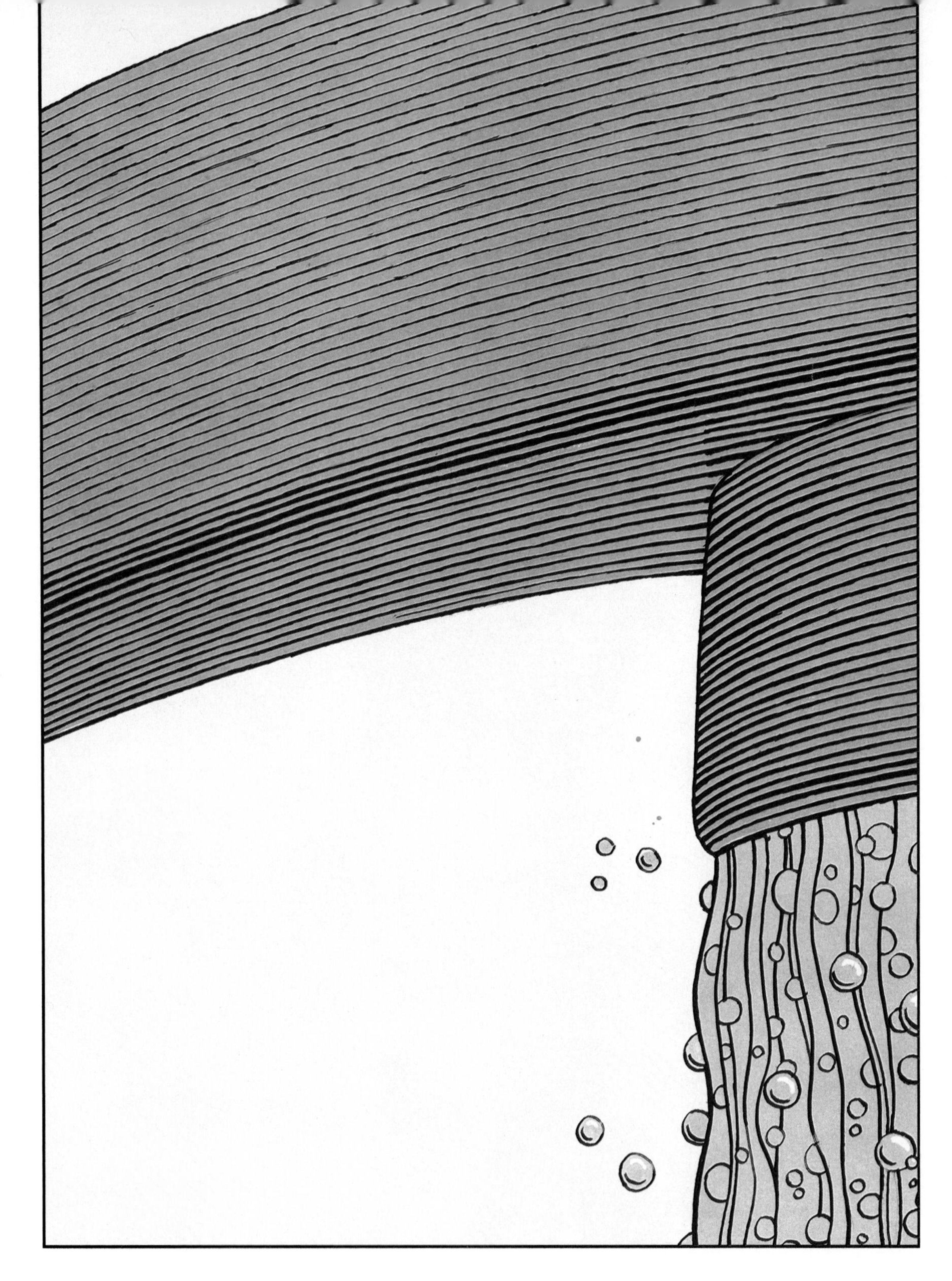

Fueron a parar cerca de algo parecido a una fuente de agua, una cascada que brotaba de un caño plateado. Como andaban muertas de sed, les dieron unas ganas locas de mojarse las cabecitas con esa agua refrescante. De modo que rápidamente subieron por el caño.

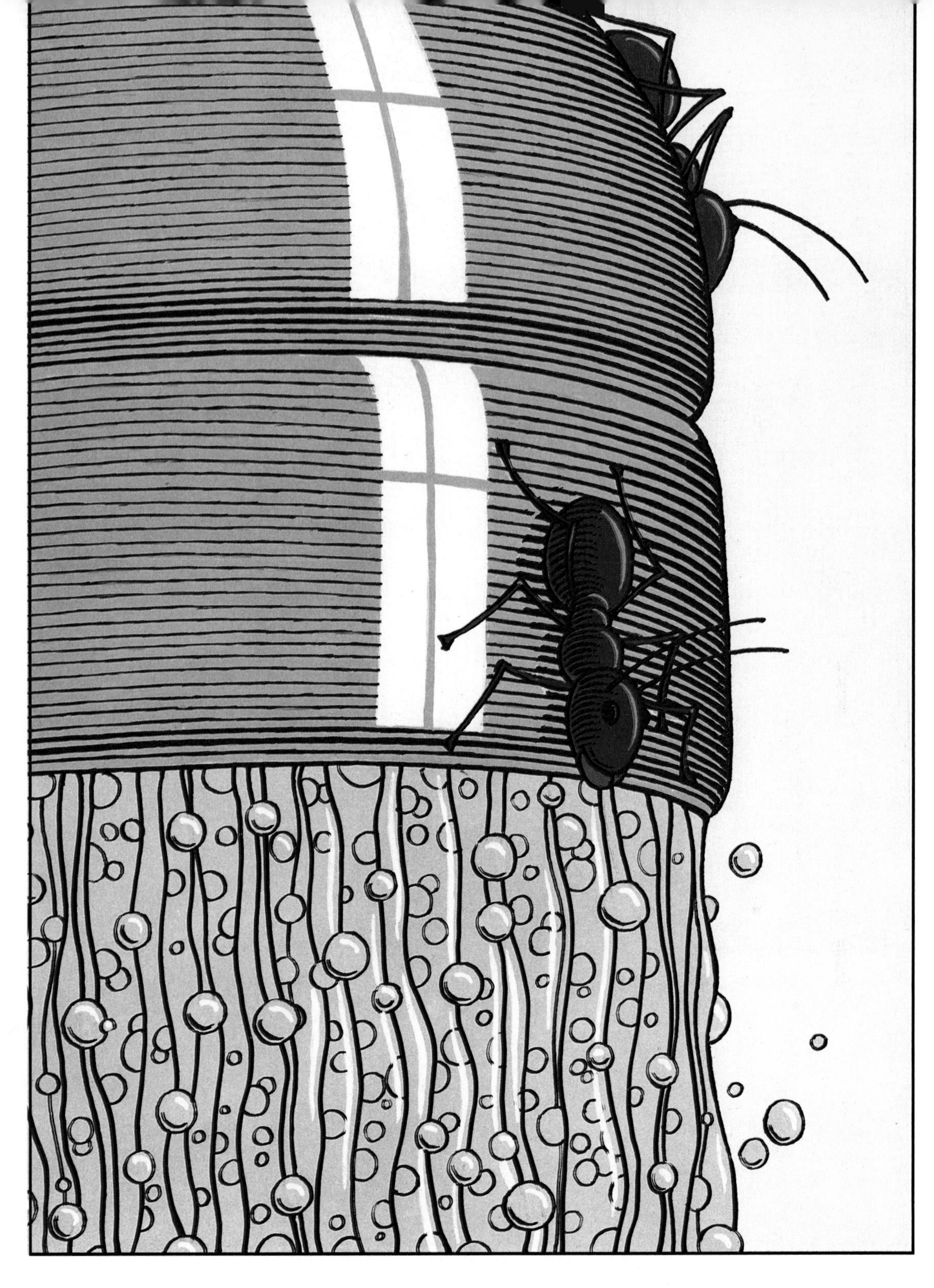

Cuanto más se acercaban al torrente de agua, más sentían la llovizna fresca. Cuidadosamente, se agarraron a la superficie brillante de la fuente e inclinaron las cabecitas hacia adelante, muy despacito, en el chorro de agua. Desafortunadamente, la fuerza del agua fue demasiado fuerte.

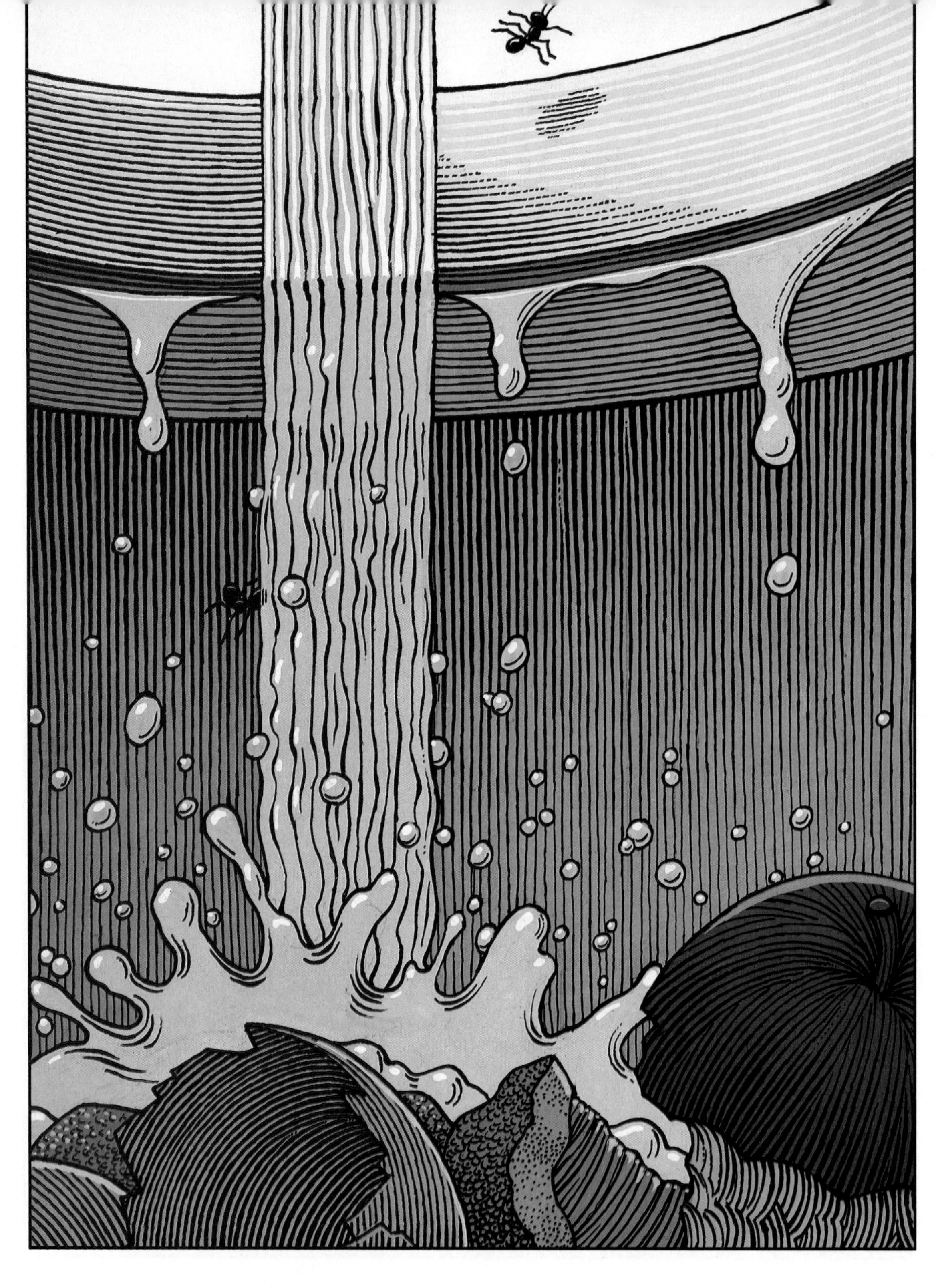

La fuerza del torrente sacó a los diminutos insectos de la fuente y los arrojó a un lugar oscuro y mojado. Aterrizaron encima de restos de frutas y otras cosas muy húmedas. De repente, el aire se llenó de un ruido fuerte y espantoso. Y el lugar empezó a dar vueltas.

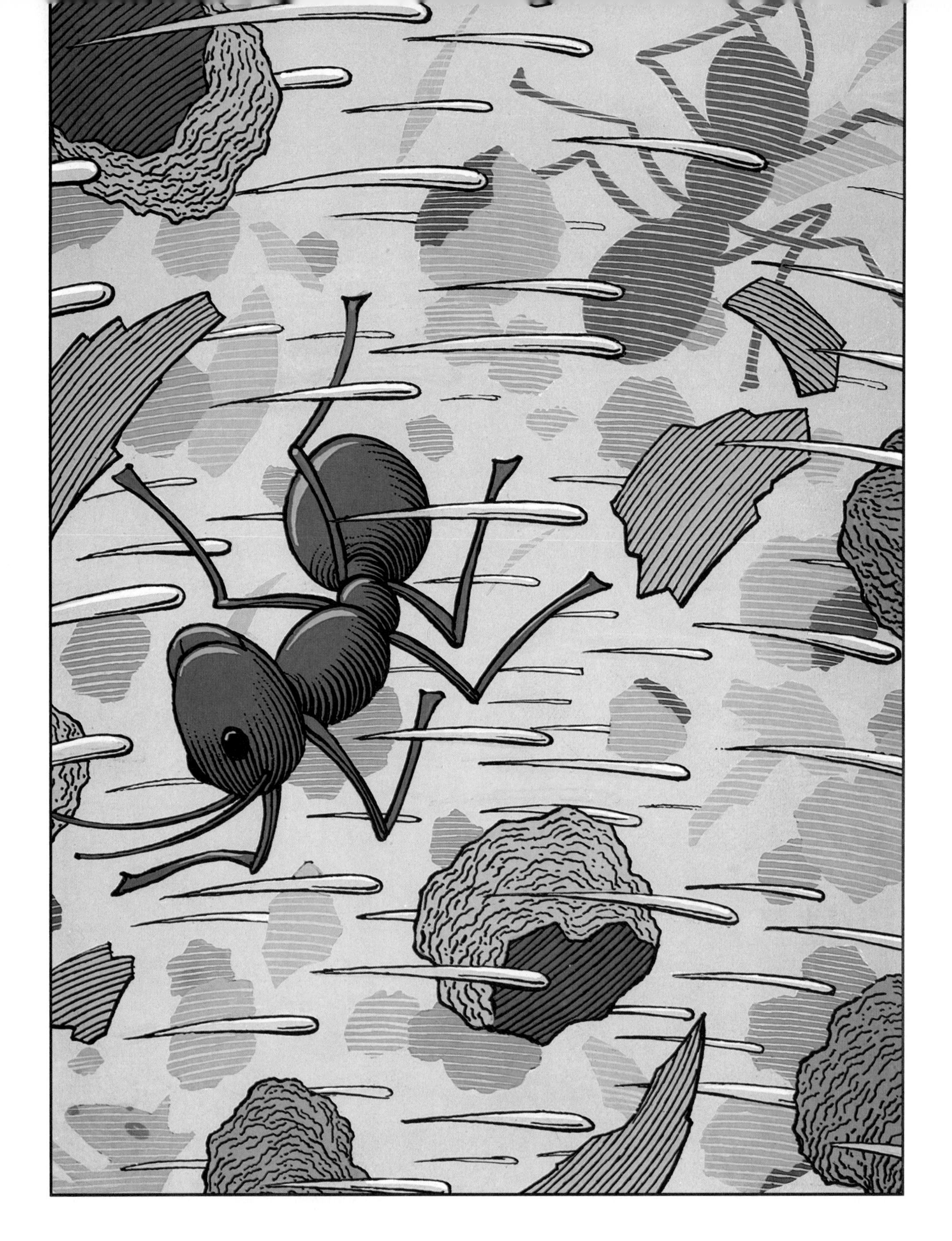

Las hormiguitas estaban atrapadas en un remolino violento de restos de comida y de una fuerte lluvia. Pero tan de repente como habían empezado, se apagó el ruido y pararon las vueltas. Mareadas y magulladas, las hormiguitas se escaparon de ese lugar oscuro.

Otra vez en pleno día, echaron a correr por los charcos y subieron por una pared lisa de metal. Algo que vieron a lo lejos las alentó: eran dos agujeros largos y estrechos que les hizo recordar el calor y la seguridad de su querido hogar subterráneo. Subieron y se metieron por esas aberturas oscuras.

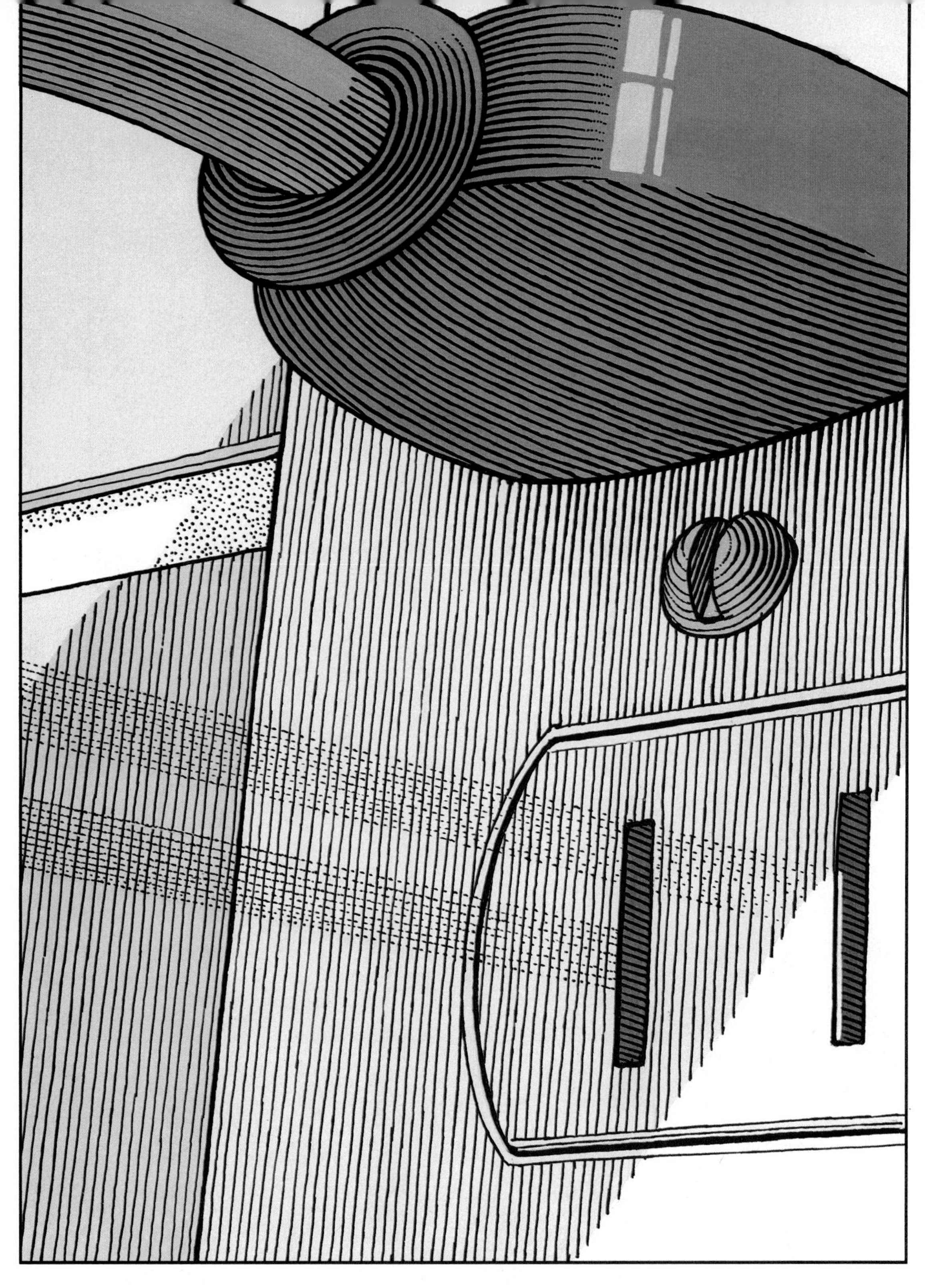

Pero dentro de estos agujeros no había ninguna seguridad. Las hormiguitas empapadas sentían una fuerza extraña que las atravesaba. Aturdidas como estaban, la fuerza las arrojó de los agujeros a una velocidad increíble. Cuando aterrizaron, las hormiguitas estaban tan agotadas que no podían más. Se arrastraron hacia un rinconcito oscuro, y ahí se quedaron bien dormidas.

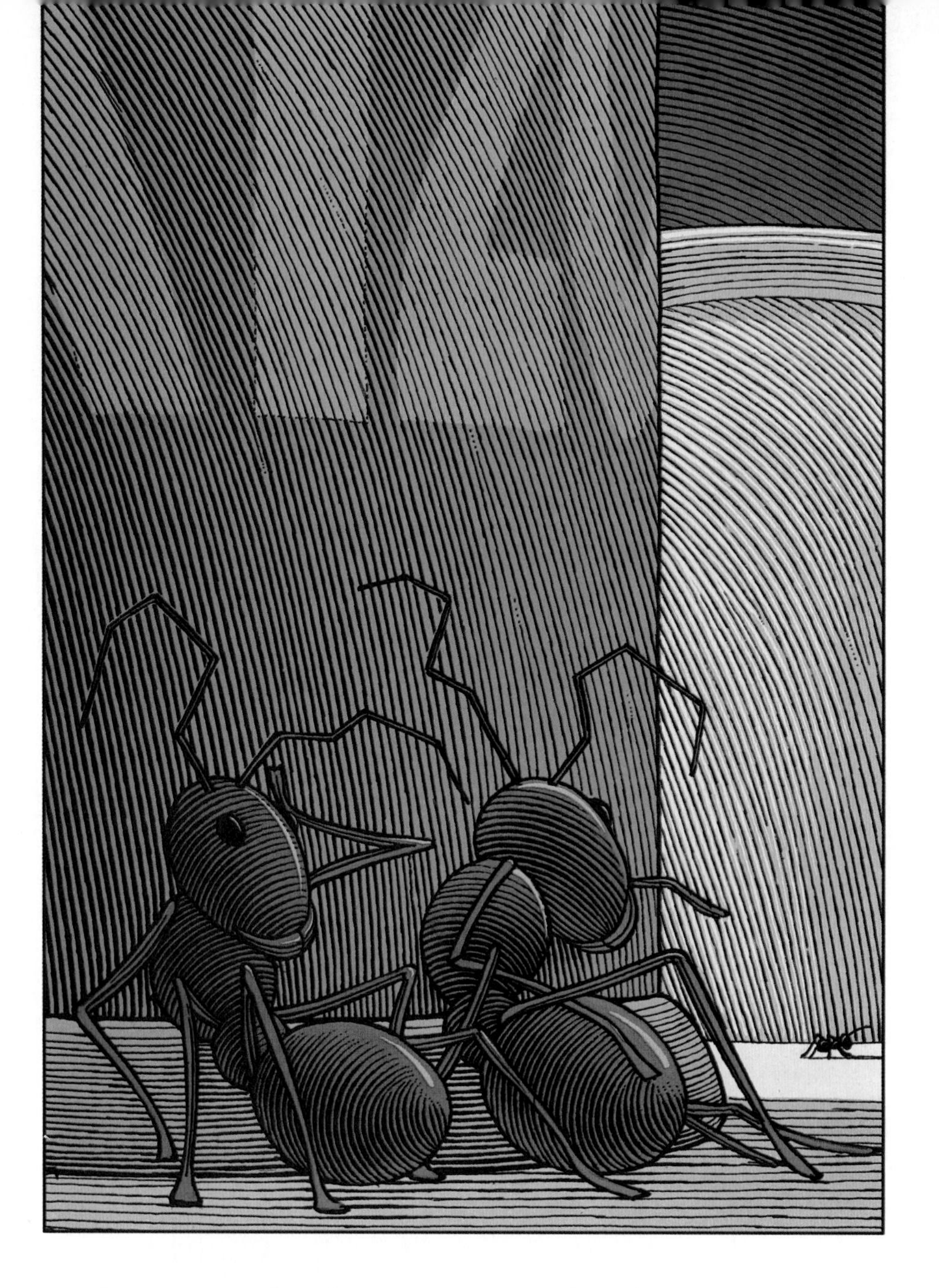

Ya era noche de nuevo, cuando un sonido familiar despertó a las apaleadas hormiguitas. Eran los pasos de sus compañeras que volvían por más cristales. Disimuladamente, las dos hormiguitas se pusieron en la cola. Subieron la pared que parecía vidrio, y una vez más se encontraron en medio del tesoro. Pero esta vez, eligieron un solo cristal cada una y siguieron a sus compañeras a casa.

Paradas a la entrada del hormiguero, las dos hormiguitas escucharon los sonidos alegres que salían de adentro. Estaban seguras de que la reina madre se quedaría muy agradecida cuando le entregaran los cristales. En aquel momento, las dos hormiguitas se pusieron más contentas que nunca. Rodeadas de sus familiares, aquí estaban en casa, justo donde debían estar.

EL MUNDO DE LAS **HORMIGAS**

¿Cuántos tipos de hormigas hay?

ución: ¡Hay más de los que te imaginas! Los científicos dicen que hay entre 10,000 y 15,000 tipos de hormigas. *¿Dónde crees que vive la mayoría de estas hormigas?*

¿Qué fuerza tienen las hormigas más fuertes?

ución: Puede que sean pequeñas, pero son fuertes. Las hormigas más fuertes pueden cargar 50 veces su propio peso. *Si tú fueras tan fuerte como estas hormigas, ¿podrías levantar un elefante?*

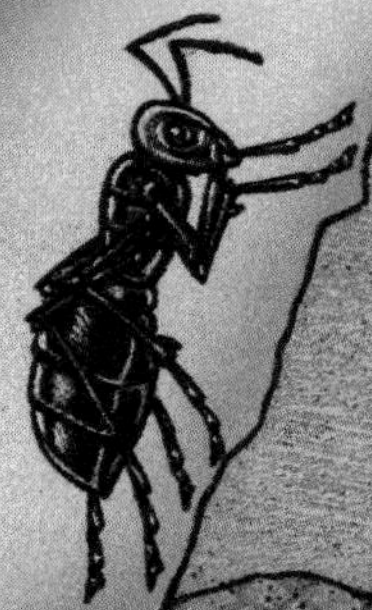

¿Comen vacas las hormigas?

ución: Sí. Un ejército de hormigas legionarias puede matar y comer animales tan grandes como las vacas. Pero, por lo general sólo comen insectos y animales pequeños.

¿Qué comen otras hormigas?

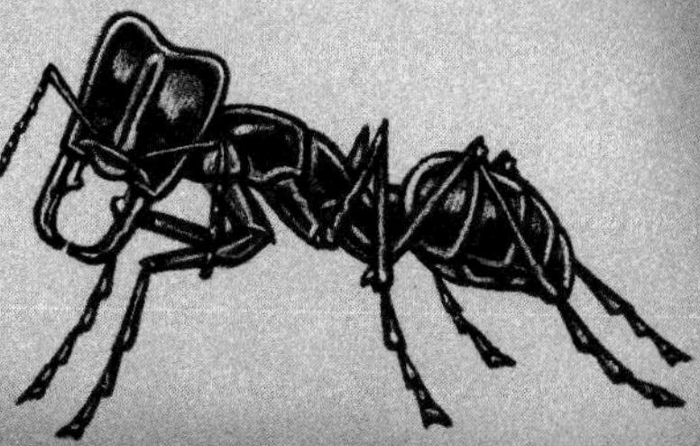

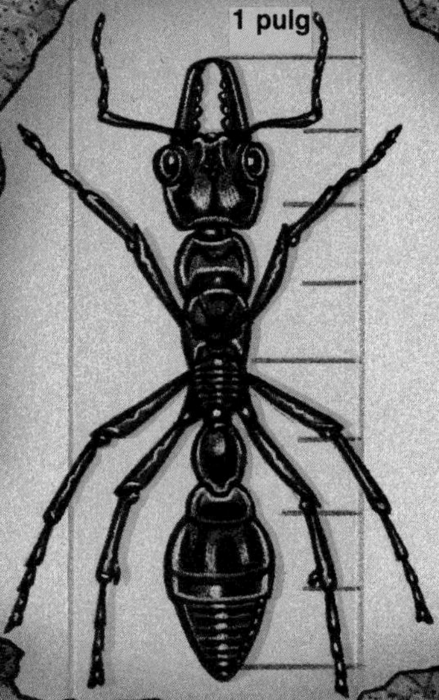

1 pulg

¿Son todas del mismo tamaño?

ución: No. La enorme hormiga buldog llega a medir 2.54 cm (1 pulgada) de largo. Es 25 veces más grande que la hormiga más pequeña. *¿Cuántas hormigas de las más pequeñas caben a lo largo de una línea que mide 2.54 cm (1 pulgada) de largo?*

¡Ahora a buscar la **ución** a las preguntas del mundo de las hormigas!

CONOZCAMOS A ARLINE Y A JOSEPH BAUM

Arline y Joseph Baum son esposos y entre los dos forman un equipo que vive fascinado por el arte de la ilusión. Anteriormente, Arline Baum trabajó de asistente de mago. Joseph Baum fue el director de arte de una agencia de publicidad. La habilidad que tiene para crear ilusiones usando dibujos le ha hecho ganar muchos premios.

En *Opt: un cuento de ilusiones,* los Baum han creado un país de ilusiones ópticas. Al comienzo el libro dice: "Ver es creer, pero a veces los ojos engañan. Cuando esto sucede, se trata de una ilusión óptica. Opt es un país de ilusiones ópticas". *Opt: un cuento de ilusiones* recibió un premio por ser un excelente libro de ciencias sin ser un libro de texto.

ARLINE y JOSEPH BAUM

Un día soleado en Opt, con estandartes, globos y sorpresas

¿Puedes cambiar mi globo de blanco a verde? Mira fijamente el rojo durante treinta segundos. Después, mira el blanco. ¿No es ahora verde?

La muralla alrededor del castillo

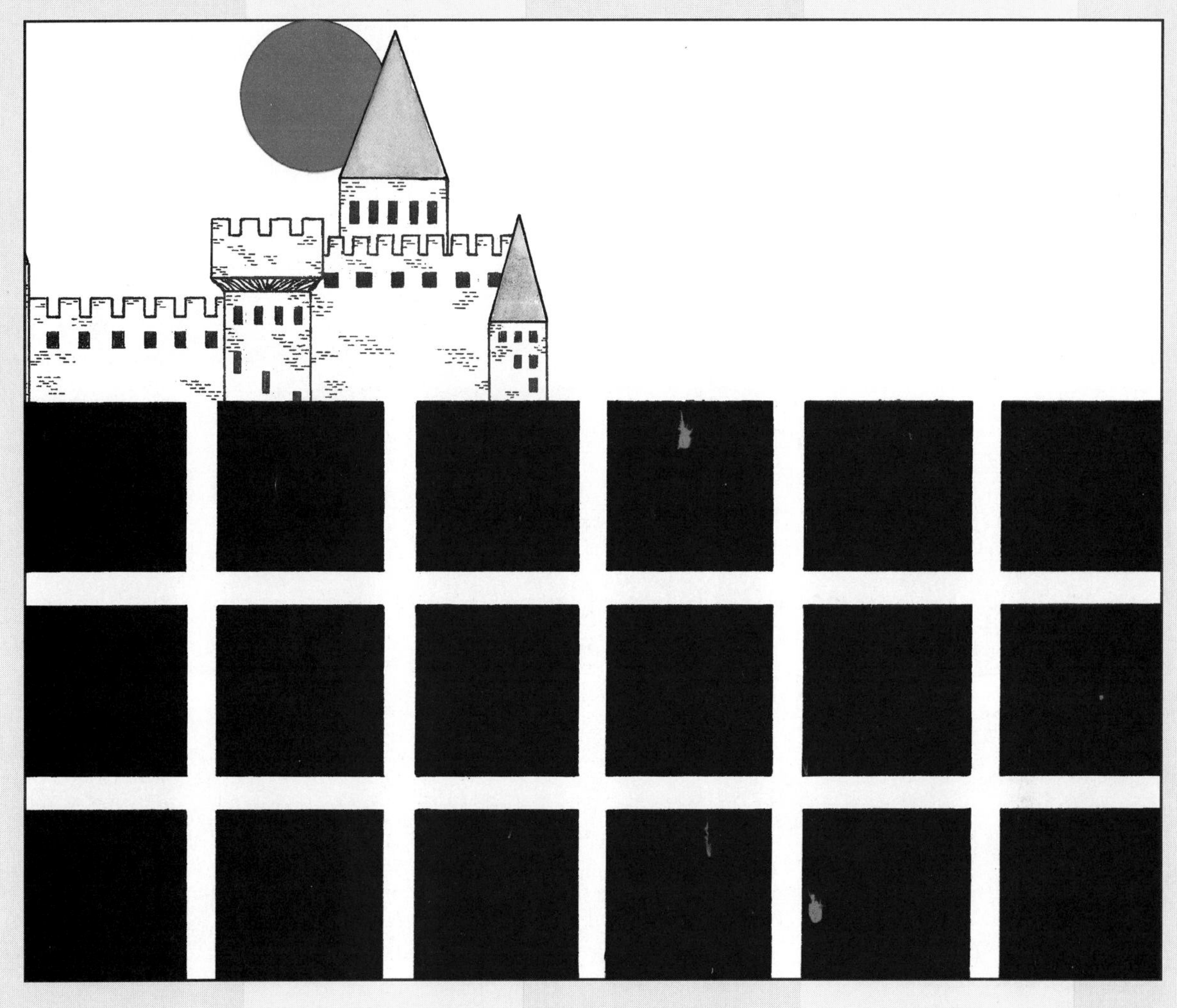

Donde las líneas blancas se cruzan, puntos grises verás.
Donde han estado unos, ya no están más.

El guardia del castillo con su tridente

Al tridente, ¿cuántas puntas le ves?
Abajo veo dos; pero arriba, tres.

El mensajero real llega con una carta para el rey

Las rayas verticales de la túnica del mensajero están torcidas. La cinta roja de la carta es más larga que la azul. ¿Estás de acuerdo tú? ¡Recuerda que estás en OPT!

Los heraldos anuncian la llegada del mensajero

¿Quién es más pequeño?

El rey y la reina esperan el mensaje

¿Quién es más alto?

El mensaje para el rey

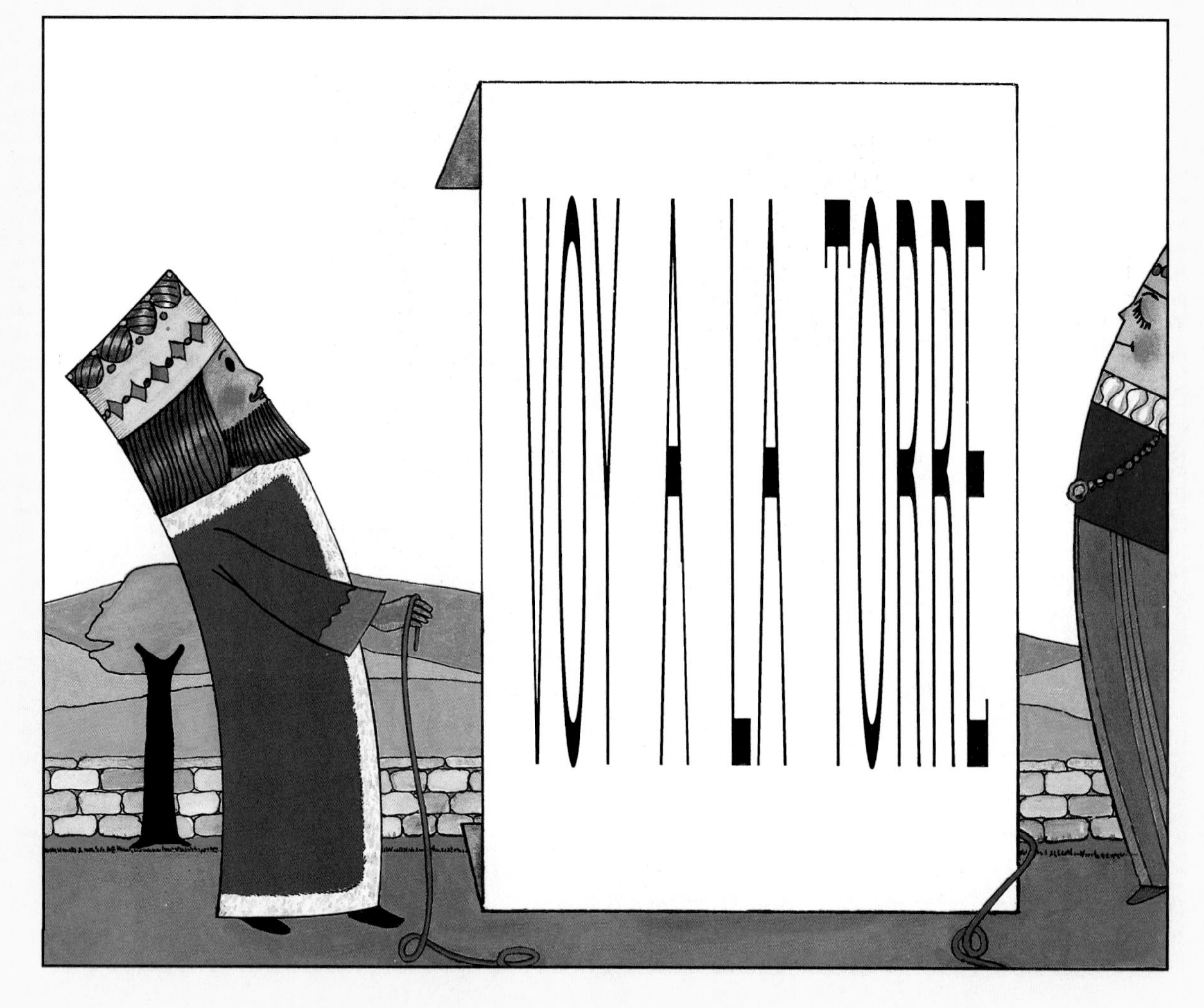

Una pista para aclarar el mensaje.
Primero, el libro ladear y después, mirar.
¿Quién envió el mensaje?

La Galería Real, limpia y en orden

La parte superior de la pantalla y la parte superior de la base de la lámpara, ¿son del mismo largo?
¿Hay dos damas retratadas, o son cuatro?
En otro lado hallarás dos más, después de un rato.

El príncipe va de pesca con su nueva caña

¿Cuál es la caña y cuál es la rama?
Mira la camisa del príncipe ahora.
¿Qué ves?
El espacio que hay entre los lunares negros, ¿es más grande que los mismos lunares?

La princesa recoge un ramillete especial

Flores hermosas, flores brillantes.
El centro negro o el blanco:
¿Cuál es más grande?

El gran salón, listo para la fiesta

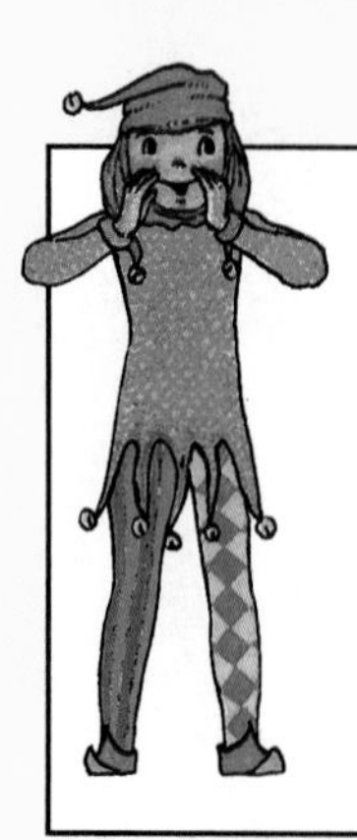

¿Debe la reina el espejo nivelar?
Hay ocho caras más.
¿Las puedes hallar?

El letrero que indica el camino al zoológico

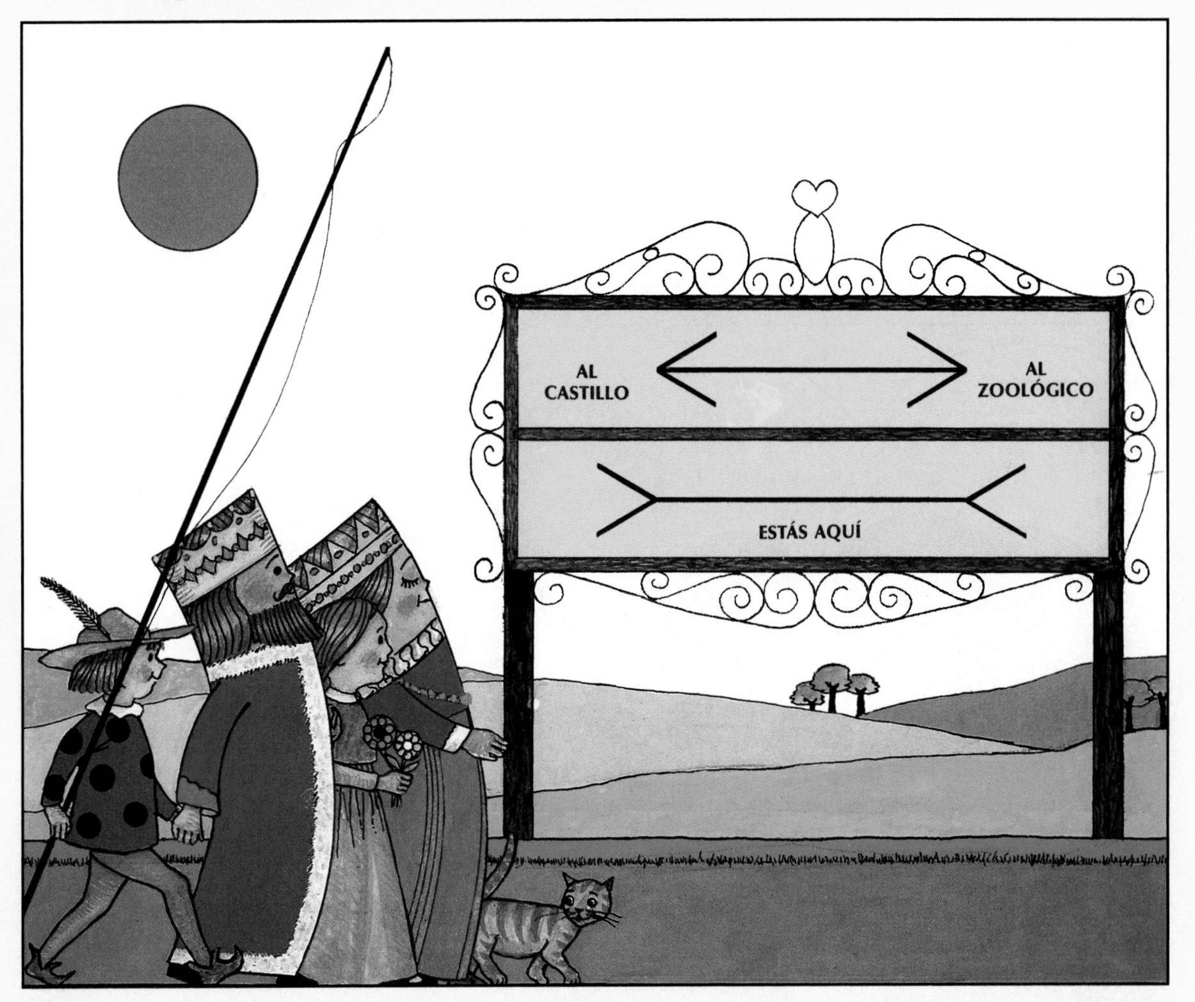

La familia real el letrero mirará.
¿Cuál de las dos líneas más larga hallará?
El rey sabe quién será el visitante.
También yo, así que, sígueme al instante.

El zoológico de Opt, hogar de animales asombrosos

Caras dentro de caras puedes hallar
con sólo una vuelta al libro dar.

El cuidador y la mascota real oyen las noticias

El cuerpo de la mascota real, ¿es más corto que el pescuezo? ¿Es el largo del sombrero del cuidador igual que el ancho del ala? Durante treinta segundos mira la estrella azul. Ahora, mira un papel blanco: un colorido cambio, que sólo ves tú.

El pabellón decorado con estandartes

Verde claro o verde oscuro, rosado claro o rosado oscuro los estandartes parecen ser.
Hay quienes dicen que son de un mismo tono.
¿Cuál es *tu* parecer?

El guardia de la torre divisa al visitante

De grada en grada, el guardia marcha,
¿pero hacia dónde?
Divisa al visitante.
¿Quién puede ser?
¡Pasa a la otra página si lo quieres saber!

¡Llegó el visitante!

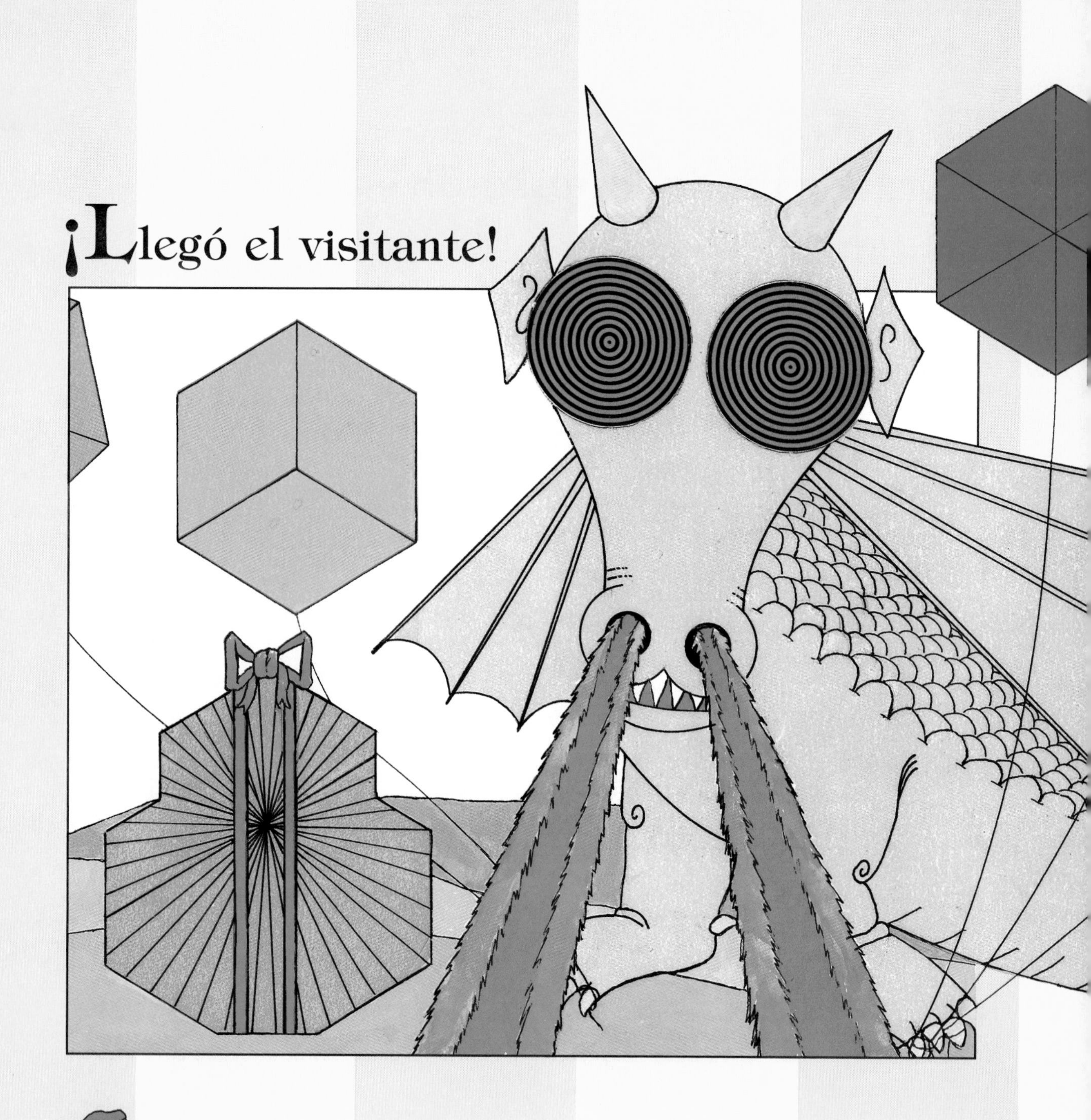

El dragón llega resoplando fuego.
Dale vuelta al libro y los ojos le girarán luego.
El dragón trae regalos... y a muy buena hora.
Pero las cintas rojas, ¿le quedaron derechas?

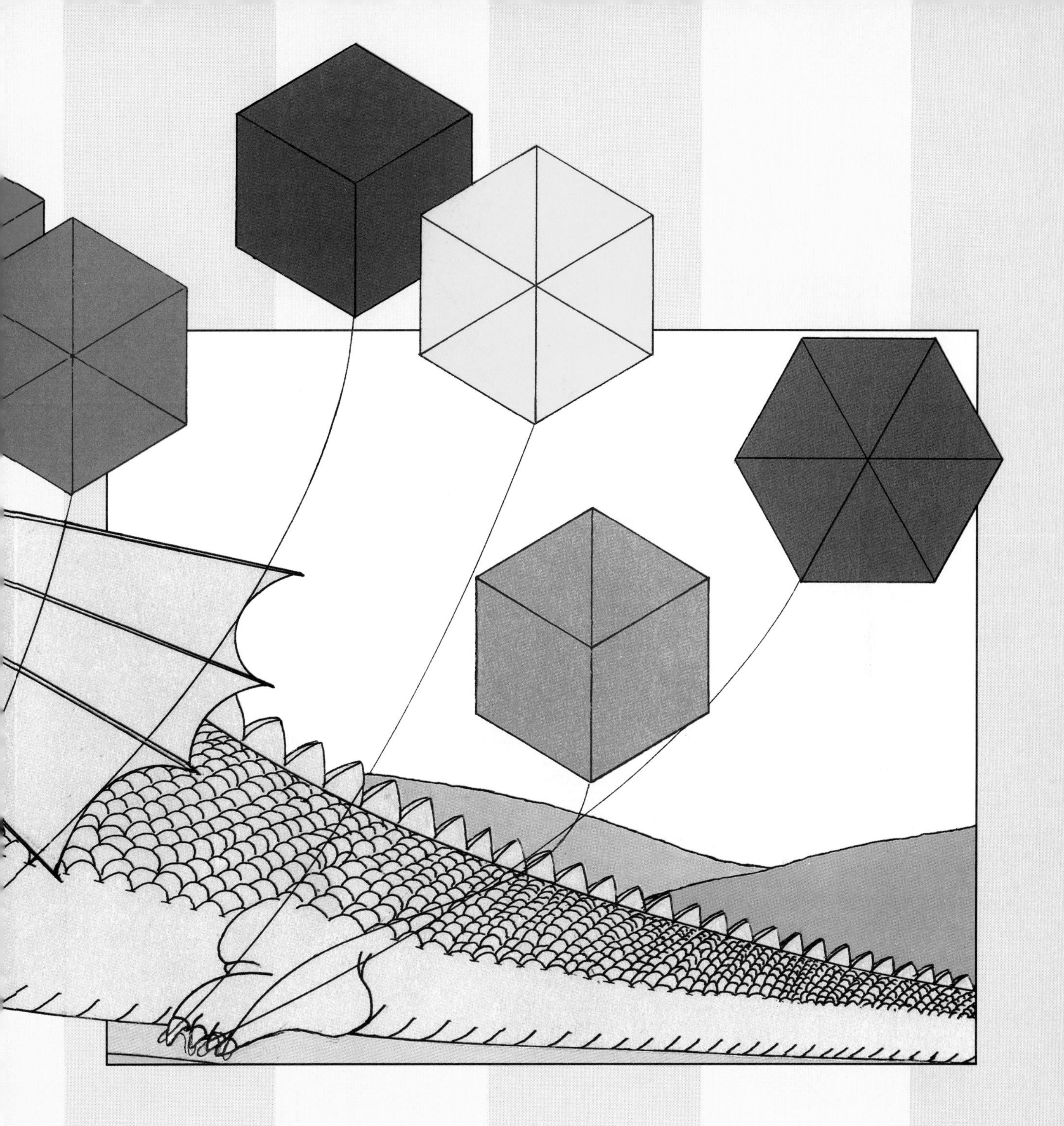

Fíjate muy bien en las brillantes cometas.
¿Son cometas chatas o en forma de caja las
que arriba vuelan?

La fiesta de cumpleaños del príncipe

La edad del príncipe sabrás al abrirse este regalón.
Así habló el dragón:
—Seis bloques se vuelven siete, si te paras de cabeza.
¡FELIZ CUMPLEAÑOS, ALTEZA!

El dragón se despide

La visita del dragón fue maravillosa.
La fiesta fue grandiosa.
Pero *tú* no te tienes que ir.
Te espero en Opt cuando quieras venir.

EL REINO DEL REVÉS

Me dijeron que en el Reino del Revés
nada el pájaro y vuela el pez,
que los gatos no hacen miau y dicen yes,
porque estudian mucho inglés.

Vamos a ver cómo es
el Reino del Revés.

Me dijeron que en el Reino del Revés
nadie baila con los pies,
que un ladrón es vigilante y otro es juez,
y que dos y dos son tres.

Vamos a ver cómo es
el Reino del Revés.

Me dijeron que en el Reino del Revés
cabe un oso en una nuez,
que usan barbas y bigotes los bebés,
y que un año dura un mes.

Vamos a ver cómo es
el Reino del Revés.

Me dijeron que en el Reino del Revés
hay un perro pekinés
que se cae para arriba y una vez...
no pudo bajar después.

Vamos a ver cómo es
el Reino del Revés.

Me dijeron que en el Reino del Revés
un señor llamado Andrés
tiene 1530 chimpancés
que si miras no los ves.

Vamos a ver cómo es
el Reino del Revés.

Me dijeron que en el Reino del Revés
una araña y un ciempiés
van montados al palacio del Marqués
en caballos de ajedrez.

Vamos a ver cómo es
el Reino del Revés.

María Elena Walsh

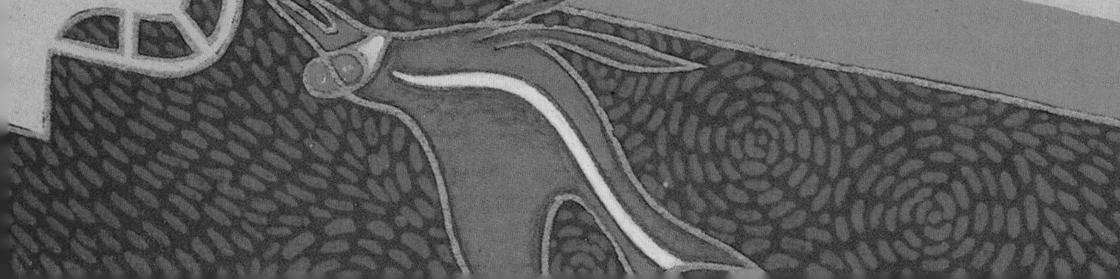

¡ Q U É S O R

Columpio-Tobogán-Noria Gigante
Lolo Rico de Alba
ilustraciones de Miguel Ángel Pacheco
Editorial Miñón, 1975

Un gigante solitario quiere tener amigos, pero los adultos no lo aceptan. En cambio los niños, que ven las cosas de otra manera, lo encuentran genial. ¿A qué jugarán los niños con el gigante?

Diego
ilustraciones de Jeanette Winter
texto en inglés de Jonah Winter
texto en español de Amy Prince
Alfred A. Knopf, 1991

Ésta es la historia de Diego Rivera, uno de los más famosos pintores de México. Viendo cómo pinta Diego, ¡a ti también te darán ganas de pintar!

Guillermo un ratón de biblioteca
Asun Balzola
Susaeta Ediciones, S.A., 1982

¿Sabes de algún ratón que sepa leer? ¿No? Pues entonces debes conocer a Guillermo, el ratón lector que entre libros se siente de lo mejor. Pero un día sale de su querida biblioteca y...

PRESAS!

Conozcamos a Marisa Vannini de Gerulewicz

Marisa Vannini de Gerulewicz es maestra desde hace muchos años. Para escribir el cuento "El reloj burlón" se inspiró en sus hijos y en sus alumnos. Con ellos se dio cuenta de que "en la vida de los niños hay situaciones en las cuales ellos no logran cumplir con sus responsabilidades. Sin embargo, si tienen buenas intenciones, esas experiencias los llevarán a ser más responsables y a cumplir cabalmente con todo lo que intenten".

Otros libros de Marisa Vannini de Gerulewicz son: *Corazón de arepa, El árbol sin hojas, Las siete estrellas del Libertador* y *El retorno de los pájaros.*

EL RELOJ BURLÓN

Marisa Vannini de Gerulewicz

El día de su cumpleaños, abuela le regaló a Vicente un reloj.

Pero no era un reloj corriente, sino un despertador fino, bonito, que marcaba exactamente la hora.

Tenía lindos colores y una campanilla muy aguda que despertaba por la mañana con un resonante *driin, driin, driin...*

LOS
LEONES
DEL CARACAS
AVIONES

Como ésta era una familia muy alegre, el regalo les encantó a todos. A Vicente porque era lindo y podía manejarlo haciendo correr las brillantes agujas sobre los numeritos pintados de rojo; a su papá porque era algo útil; y a su mamá porque pensó que por fin Vicente podría despertarse solo para ir a la escuela y ella no tendría que levantarse tan temprano.

Y como ésta era una familia muy unida, a todos les encantó la idea de que Vicente se preparase solo para ir a la escuela, y Vicente se sintió muy contento y orgulloso de poder ya levantarse y salir a la calle como un hombrecito.

Al principio todo fue bien. Por la noche Vicente controlaba y cargaba su reloj; y por la mañana, al oír el alegre *driin, driin,* saltaba de la cama, se aseaba y salía solo de la casa.

Pero llegó diciembre, las madrugadas eran más frías, costaba trabajo dejar el calorcito de la cama.

Además, Vicente había empezado a acostarse más tarde porque le gustaba patinar y por la noche salía a dar vueltas con los amigos.

Así que una mañana al oír el *driin, driin* del despertador, Vicente saboreó la tibieza de su cobija, sacó un brazo, le dio con la mano un buen golpe al reloj para hacerlo callar, luego se volteó al otro lado, dio un bostezo y siguió durmiendo.

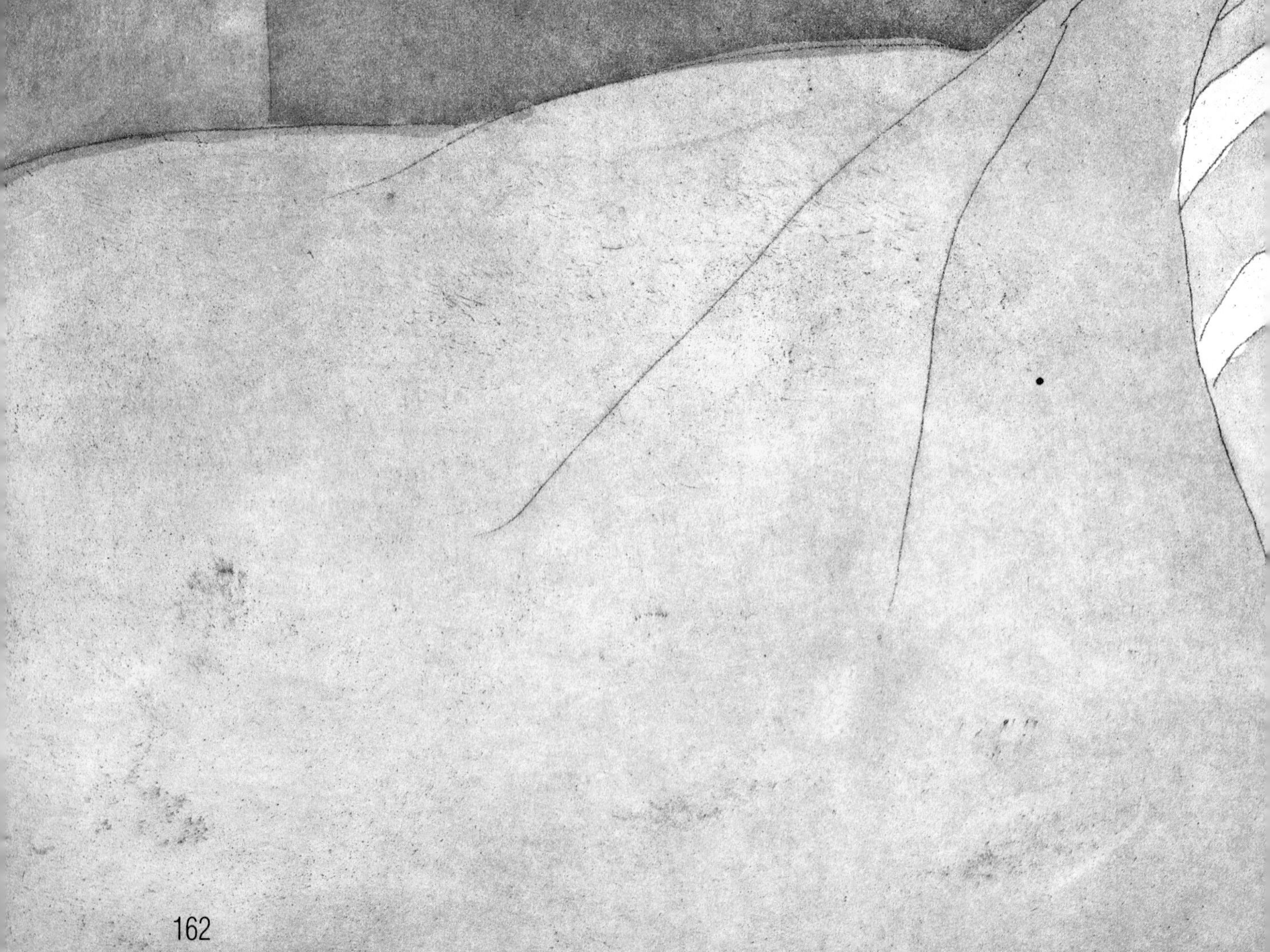

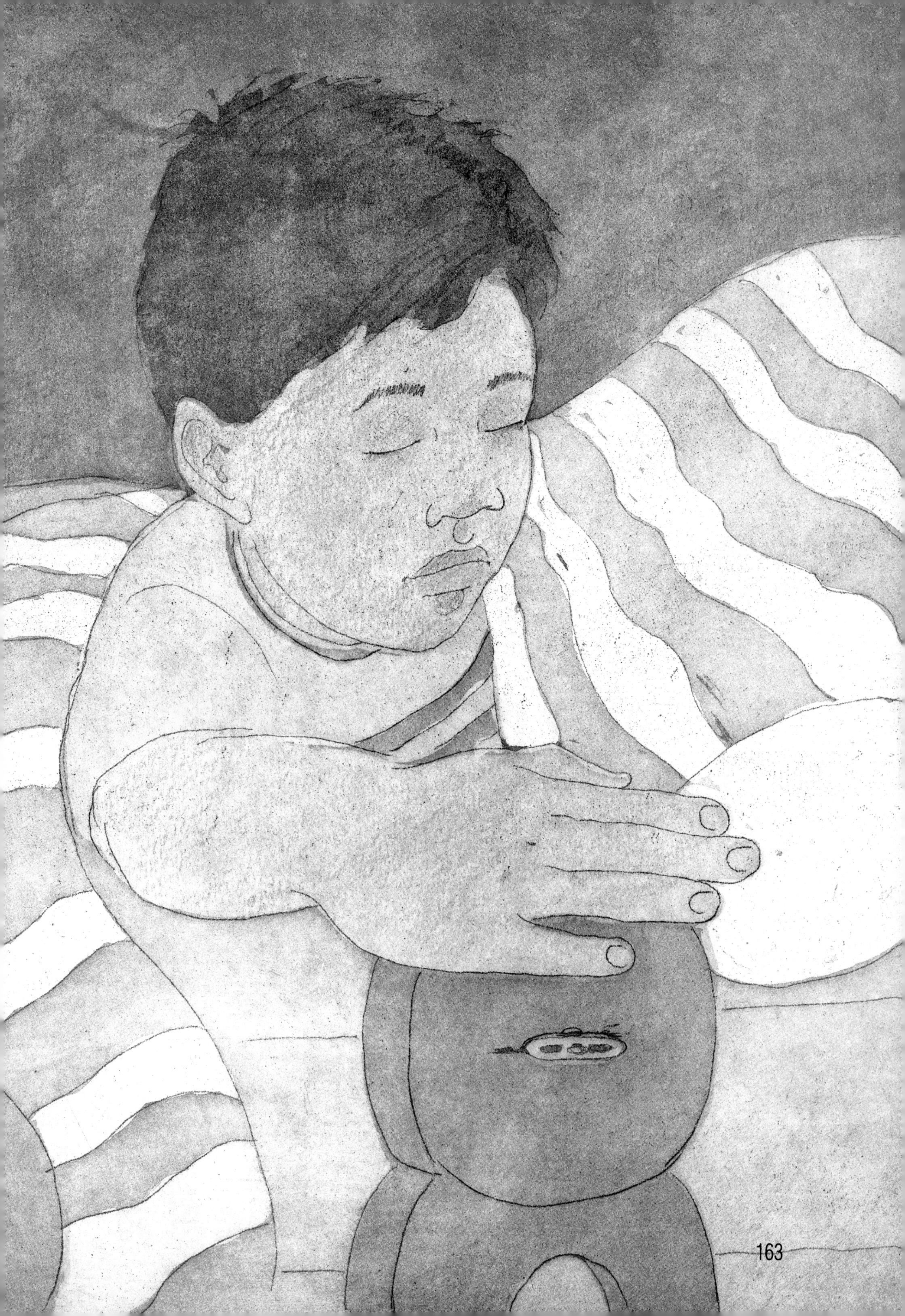

Cuando se despertó era tardísimo, el Sol brillaba alto, y por más que se apresuró, llegó al colegio bastante retrasado. El maestro no lo aceptó y lo mandó a la dirección.

—¿Qué le pasó, hijo mío, para llegar tan tarde? —le preguntó el Director.

—Pues usted sabe, Director —se le ocurrió decir a Vicente, que cuando era necesario se pasaba de listo—, a mí me regalaron un despertador por mi cumpleaños. Pero resulta que a pesar de que yo lo puse bien anoche, esta mañana no repicó a la hora y no me desperté a tiempo.

El Director le aceptó la excusa y lo dejó entrar, pero le exigió que al día siguiente trajera una justificación de su mamá.

Al llegar a la casa Vicente le repitió la excusa a su mamá que, pobrecita, se la creyó.

Pero el despertador había oído todo ese cuento y pensó:

"¿Ah, sí, sinvergüenza, flojo y embustero, para esconder tu vagancia me echas la culpa a mí que soy un honrado trabajador? Pues si ni el Director ni tu mamá te descubrieron, ahora te voy a arreglar yo."

Y así a la mañana siguiente, a pesar de que Vicente cuidadosamente lo había arreglado para las seis, el reloj comenzó a tocar como loco, bien temprano por la madrugada, cuando era aún noche y todavía ni un rayito de luz había empezado a rasgar las frías tinieblas decembrinas.

El pobre Vicente, al oír el *driin, driin* y recordando lo que le había pasado el día anterior, se tiró de la cama tambaleando de sueño y temblando de frío, se bañó, se vistió y sin siquiera desayunarse agarró su bulto y se fue a la calle.

¡Pero cuál fue su sorpresa cuando al cerrar la puerta detrás de sí, vio que era aún de noche!

Miró extrañado las estrellas que apenas brillaban en el cielo nublado, miró a su alrededor las calles oscuras y las luces de los postes prendidas y comprendió enseguida que había sido el despertador quien le había gastado aquella broma pesada. Pero, ¿qué hacer? ¿Tocar el timbre para volver a entrar en la casa, despertar a todo el mundo, confesar que había mentido y que ahora el reloj se burlaba de él? No, mejor esperar por allí a que amaneciese y luego encaminarse poco a poco hacia la escuela.

—¡Pero cuando regrese, reloj burlón —gritó indignado antes de irse—, te voy a tirar al suelo y hacerte trizas!

Llegó hasta la esquina y se sentó en la acera, preparado a pasar triste y solo aquellas largas horas. Pero enseguida se dio cuenta de que no estaba tan solo.

Los autobuses hacían el recorrido habitual; en su parada, había algunos taxis en espera. Pasaban a menudo personas, y comenzó a observarlas: un médico con su maletín, una enfermera nocturna toda limpia y bien arreglada con su uniforme blanco, un joven de paso decidido, tal vez un vigilante. También pasaron unos hombres con cara de cansancio, enfundados en sus chaquetas: eran los obreros del turno de la noche que regresaban a sus casas.

Varios cafetines estaban abiertos a lo largo de la avenida, y salía el olor del café recién colado y de las empanadas. El vendedor de periódicos ya estaba en su sitio y se disponía a recibir la prensa. El panadero aún no había abierto, pero estaba horneando adentro con las luces encendidas. Con su camioneta, los repartidores de leche recorrían lentamente las calles.

La ambulancia pasó dos o tres veces, dirigida al hospital; y allá adentro, ¡cuánta gente trabajaba! Se veían siluetas perfilarse en las ventanas iluminadas: médicos, enfermeras, religiosas, cocineros, gente que limpiaba.

Café
abierto
Panadería
Floristería
TAXI
autobús 104
Periódico

Nunca Vicente se había imaginado que mientras él dormía tanta gente estuviese trabajando. Así que le dio vergüenza estar allí sentado sin hacer nada y se dirigió lentamente hacia la escuela. Por el camino le sorprendió el alba: las estrellas palidecían, el cielo se fue aclarando, luego se tiñó de rojo y dejó pasar, brillante y orgulloso, al Sol. Largo rato se quedó Vicente mirando hacia arriba: era el primer amanecer que veía en su vida y le encantó.

"¡Cuántas cosas bellas y buenas tiene el mundo por la mañana!", pensó.

Cuando llegó a la escuela vio que la puerta estaba abierta, los bedeles estrujaban con fuerza el aserrín contra el piso, y en el patio el viejo portero recogía en una cesta todos los papeles que los niños habían tirado el día anterior.

En la calle ya se bajaban de los carros los niños que llegaban más temprano, porque sus padres los dejaban antes de ir al trabajo. Vicente se dio cuenta de que entre ellos había muchos pequeños, mucho más pequeños que él.

—¡Reloj burlón, no te haré trizas —dijo entonces para sí— demasiadas cosas nuevas y bellas me has hecho conocer y comprender!

Y vio que la mañana surgía límpida y que el Sol se alzaba triunfante, disipando las últimas neblinas del amanecer.

¿Qué dice?

Yo compadezco a los sas- 3
siempre humilde fue su c- 1
nunca tuvieron fort- 1
siempre sufrieron desas- 3.

Conocí a un sastre jar- 8
trabajador cual ning- 1
y sólo comía un bizc- 8
en su frugal desay- 1.

¡Cuántos chalecos fia- 2
y pantalones medi- 2,
que le habían sido pedi- 2
y nunca fueron paga- 2!

Elisa González Mendoza

aquí?

Pintando
sueños
Mauricio
Charpenel

La maestra de tercer grado repartió invitaciones para una exhibición de arte infantil. La exhibición se llamaba "Los niños pintan a Diego".

—¿Qué Diego? —preguntaron los niños a coro.

—Diego Rivera, el gran pintor mexicano —contestó la maestra. Y agregó: —En la exhibición se mostrarán las pinturas de sesenta niños de diferentes partes de la Ciudad de México. Los niños pintaron distintos momentos de la vida de Diego.

Rocío escuchaba con mucho interés. Y al volver a casa, mostró la invitación a su familia.

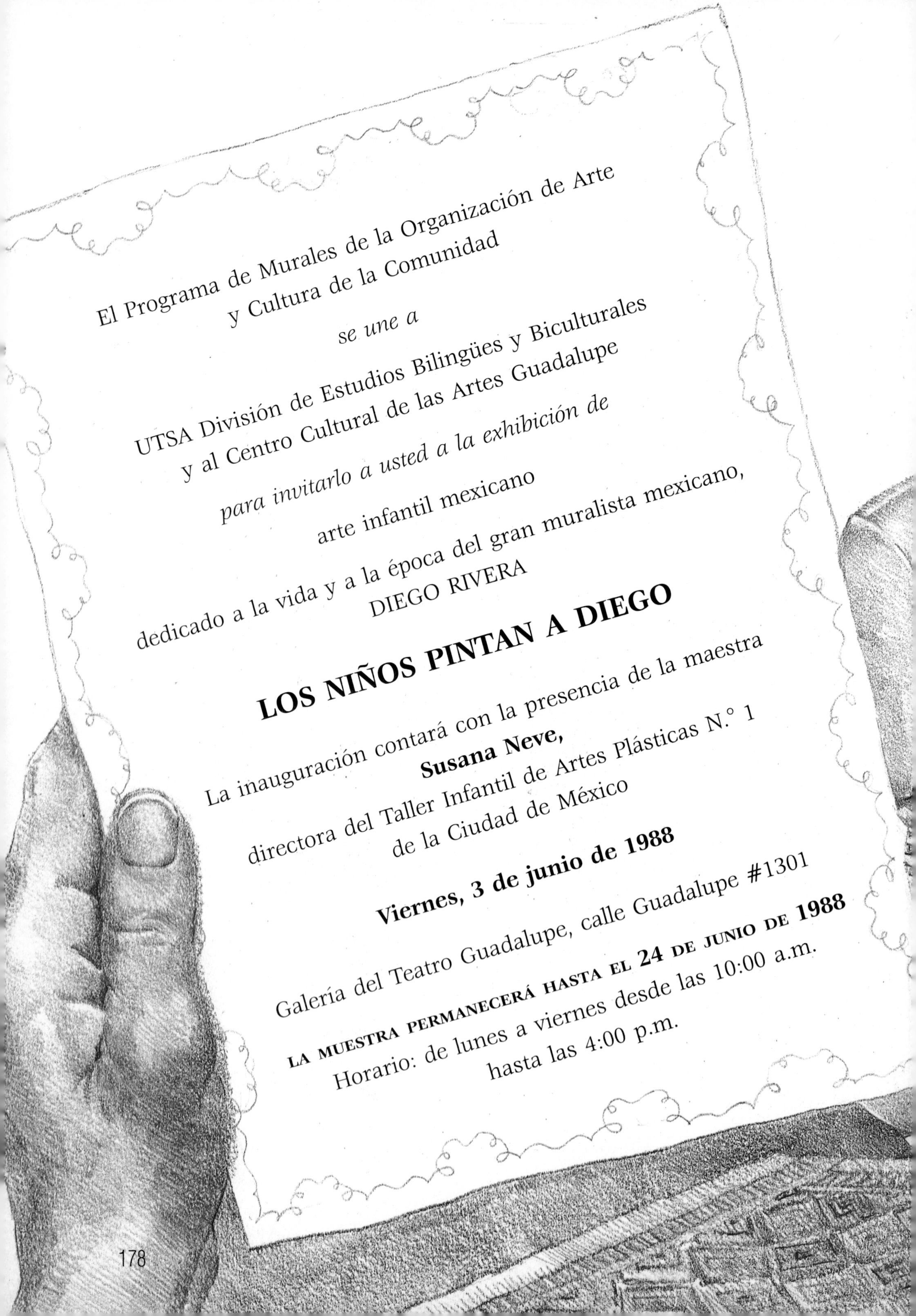

El Programa de Murales de la Organización de Arte
y Cultura de la Comunidad

se une a

UTSA División de Estudios Bilingües y Biculturales
y al Centro Cultural de las Artes Guadalupe

para invitarlo a usted a la exhibición de

arte infantil mexicano

dedicado a la vida y a la época del gran muralista mexicano,
DIEGO RIVERA

LOS NIÑOS PINTAN A DIEGO

La inauguración contará con la presencia de la maestra
Susana Neve,
directora del Taller Infantil de Artes Plásticas N.° 1
de la Ciudad de México

Viernes, 3 de junio de 1988

Galería del Teatro Guadalupe, calle Guadalupe #1301

LA MUESTRA PERMANECERÁ HASTA EL 24 DE JUNIO DE 1988
Horario: de lunes a viernes desde las 10:00 a.m.
hasta las 4:00 p.m.

—Por favor, ¡vamos a la exhibición de arte infantil! —rogó Rocío.

Su familia no mostró mucho entusiasmo. Pero Rocío insistió tanto que aceptaron acompañarla a ver los "garabatos". "Garabatos", así bautizó a los dibujos el hermano mayor de Rocío. A él le gustaba coleccionar figuras de deportistas famosos. A Rocío, en cambio, le gustaba dibujar. Si no estaba dibujando, estaba mirando libros de pinturas y dibujos.

Por fin llegó el día de la inauguración de la exhibición. Rocío y su familia llegaron temprano al Teatro Guadalupe. Este teatro es muy popular en San Antonio, Texas.

Al entrar a la galería, Rocío vio los cuadros pintados con lápices de colores.

"¡Parecen flores de mil colores!", pensó Rocío. Y comenzó a mirarlos, uno por uno.

Al lado de cada cuadro había una tarjetita con el título del cuadro y el nombre del artista. Leyó nombres como Érika, Alfonso, Flor, Xóchitl, Capricho. Y pensó: "¡Qué bonitos nombres!".

Al ratito, un cuadro le llamó la atención. En el cuadro una muchacha estaba mirando a un señor gordito. El gordito estaba pintando un mural. Rocío leyó la tarjeta que decía:

Frida espiando a Diego

Rocío Ruiz Ramírez

—Rocío, ¡una niña con mi nombre! ¡Mi tocaya de México! —exclamó Rocío.

Rocío estaba muy emocionada. Y ahora su nombre le parecía más bonito. Volvió a mirar el cuadro. Pensó que el vestido de Frida era una mariposa azul. Y dijo en voz alta: —¡Qué bellos colores usó Rocío! Rocío... Rocío... Rocío.

—¿Te gusta ese nombre? —le preguntó sonriendo una señora.

—Sí, mucho —contestó Rocío. Y agregó con orgullo: —Yo soy tocaya de la niña que hizo este cuadro.

—¿Te gusta dibujar? —preguntó la señora.

—¡Sí! ¡Sí! Y quisiera dibujar y pintar tan bonito como ella —contestó la niña y agregó: —¡Cómo me gustaría conocerla!

—Es tan linda como tú —dijo la señora y luego aclaró: —Yo la conozco muy bien porque soy su maestra de dibujo. Me llamo Susana Neve.

Los primeros dibujos

ALFONSO LIRA M.

¡Una maestra de dibujo! ¡Y además la maestra de su tocaya Rocío! ¡Cuántas cosas quería preguntarle pero no se atrevía! Por fin se decidió. Y empezó a hacerle una pregunta, ¡luego otra... y otra... y otra más!

La maestra Susana le contó de la Rocío de México. Luego, le habló de sí misma:

—Cuando era niña me gustaba mucho dibujar. Dibujaba en todas partes. ¡Hasta en las paredes! ¡Y eso sí que no le gustaba para nada a mi mamá!

—Yo era un poco rebelde —continuó— y por eso mis papás se enojaban conmigo a veces. A mí me gustaba hacer las cosas a mi manera. Cuando terminé la escuela secundaria, empecé a estudiar leyes. Al poco tiempo, me di cuenta de que no me gustaba para nada ser licenciada o abogada. ¡Yo quería ser artista! ¡Quería pintar, dibujar, darle forma a lo que veía en mi imaginación! ¡Quería ser una gran pintora!

—¿Dónde estudió, maestra Susana? —preguntó Rocío entusiasmada.

—Estudié en la Escuela de Artes Plásticas de la Ciudad de México...

—¿Artes plásticas? ¿Qué es eso?

—Artes plásticas son las artes que crean formas bellas. La pintura y la escultura son artes plásticas —respondió la maestra. Y luego le preguntó: —¿Quieres que te cuente cómo empecé a dar clases de dibujo a niños?

En España con sus amigos

Capricho Casas Campos

—¡Sí, sí! Por favor, cuénteme —le pidió Rocío.

—Cuando estudiaba en la escuela de artes, me entrevistó un reportero. Él estaba escribiendo un artículo para el periódico de la Universidad Nacional Autónoma de México. El artículo se refería a las carreras universitarias que seguían las muchachas.

—Le conté que me interesaba mucho el arte —continuó diciendo la maestra Susana—. Le platiqué que soñaba no sólo con ser artista, sino con ayudar a todos mis paisanos por medio del arte.

—Fíjate cómo un simple detallito puede cambiar el rumbo de una vida —dijo la maestra—. El detallito es que le conté al reportero que mi gran deseo era ser maestra de dibujo. Quería dar clases de dibujo a los niños.

Susana no sabía que su sueño se iba a convertir en realidad. Al poco tiempo de la publicación de la entrevista, varios padres la llamaron para pedirle que les diera clases de dibujo a sus hijos. ¡Y Susana comenzó a enseñar! ¡Su sueño se estaba volviendo realidad!

Rocío estaba maravillada. Los cuadros y la conversación de la maestra Susana le habían abierto las puertas a *un mundo nuevo*. Su sueño de tener una maestra de arte, ¡podría hacerse realidad! Su sueño de ser una gran artista, ¡también podría hacerse realidad!

—Maestra Susana, ¿dónde da clases ahora? ¿Cómo es su escuela? ¿Podría visitarla yo? —preguntó tímidamente Rocío.

—Todo es posible, Rocío. Yo ya no doy clases. Ahora soy la directora de un taller de artes plásticas para niños en la Ciudad de México...

—¿Los niños van a un *taller* a estudiar arte? ¡Qué chistoso! Yo creía que un taller era para arreglar carros descompuestos —dijo Rocío.

—Sí. Pero en nuestro taller hacemos actividades artísticas. Tenemos clases de dibujo, pintura, grabado, escultura —contestó Susana. Y agregó entusiasmada: —En mi taller los niños se reúnen, guiados por los maestros o las maestras. Se intercambian ideas. Durante unas tres horas diarias, por la mañana y por la tarde, el Taller es pura actividad. Y en un ambiente de amistad, cada uno crea algo diferente, algo bello. Por eso decimos que este taller es como un arcoiris.

SUSANA NEVE
PROMUEVE EL ARTE INFANTIL MEXICANO

La Sra. SUSANA NEVE es la directora del "Taller Infantil de Artes Plásticas Número 1" de la Ciudad de México. Desde hace más de 20 años, dirige el taller y organiza muchas exhibiciones cada año.

El espíritu innovador de Susana la ha llevado a promover dentro y fuera de México los trabajos de los niños del Taller. Gracias a su esfuerzo, adultos y niños de países lejanos, como la India y la China, han admirado los originales trabajos de los niños mexicanos.

Durante este mes, Susana Neve y los niños del Taller de Artes Plásticas Número 1 están presentando la exhibición llamada "Los niños pintan a Diego". La exhibición tiene lugar en el Teatro Guadalupe de San Antonio, Texas. La exhibición está teniendo mucho éxito.

La maestra Susana y Rocío se acercaron al cuadro "Diego coleccionista". Rocío miraba fascinada las máscaras y los cantaritos que Diego coleccionaba. Susana le contó que a Diego le gustaba mucho el arte popular mexicano.

—¿Es cierto que pintaba las paredes? —preguntó Rocío.

—¡Claro que sí! Fue uno de los grandes pintores de murales en México. ¡Un muralista!

Diego coleccionista

Alfonso Lira M.

—¿Por qué pintaba murales?

—Porque quería que toda la gente disfrutara del arte.

—¡Y ahora los niños mexicanos pintan a Diego! —dijo Rocío con entusiasmo.

—Sí —contestó la maestra—, cada niño lo dibujó a su manera. Fíjate que Diego se ve distinto en todos los dibujos, porque cada quien ve las cosas de un modo diferente. Unos, como Rocío —continuó—, lo dibujaron pintando una pared. Otros, cuando se estaba casando con Frida Kahlo. Para unos niños, Diego es flaquito, aunque en realidad era bien gordo...

En ese momento se acercó la familia de Rocío.

Los papás de Rocío se presentaron. Y felicitaron a la maestra Susana por esta interesante exhibición de arte. ¡Hasta el hermano mayor estaba muy interesado en la exhibición!

Llegó la hora de despedirse. Rocío estaba triste. Pero la maestra Susana le dijo que podían escribirse. ¡Y que también podía escribirle a su tocaya de México! Rocío prometió que les escribiría.

Pasó el tiempo. Rocío empezó el cuarto grado. Para entonces ya se había hecho muy buena amiga de su tocaya mexicana. Se escribían con frecuencia, intercambiaban fotos y dibujos. También se escribían con la maestra Susana.

Susana le mandaba consejos sobre los dibujos. Y Rocío prestaba mucha atención a estos consejos.

Cada día dibujaba y pintaba mejor.

Como premio a los esfuerzos y dedicación de Rocío, sus padres le regalaron ¡un viaje a México! Iba a estudiar dibujo en el taller de arte dirigido por la maestra Susana. Iba a hacer realidad sus sueños.

Y así fue. En el Taller aprendió a hacer hermosas combinaciones de colores. Aprendió muchos secretos del dibujo. Pasó bellos momentos con su tocaya, con la maestra Susana y los nuevos amigos del Taller. ¡Fue una experiencia inolvidable!

Rocío les dejó su dibujo preferido de regalo. En una tarjetita escribió:

OST OFFICE

Conozcamos a *Mauricio Charpenel*

Mauricio Charpenel siempre ha apreciado el arte popular y las miniaturas. Colecciona libros pequeñitos, pinturas en miniatura y otros objetos de arte popular.

Por esta dedicación al arte de su país natal, Mauricio Charpenel se interesó en el Taller Infantil de Artes Plásticas N.° 1 de la Ciudad de México. (Éste es el taller que se menciona en el cuento "Pintando sueños".) También Charpenel dio una charla sobre el arte infantil el día de la inauguración de la exhibición "Los niños pintan a Diego", en el teatro Guadalupe de la ciudad de San Antonio.

En reconocimiento a la maestra Susana Neve y a los profesores y alumnos del taller, Mauricio Charpenel escribió el cuento "Pintando sueños".

Querida maestra Susana y amigos del Taller:
Con ustedes aprendí que a través del arte se crean mundos nuevos. Y que el arte es la mejor manera de expresar nuevos puntos de vista. ¡Gracias amigos! Espero que algún día puedan venir de visita a San Antonio.
Rocío Torres

Diego Rivera

El trabajo del pintor
es trabajo de artesano.
Usando línea y color
sale un mundo de su mano.

Un mundo que no envejece,
que no cambia ni termina:
con sus murales, Rivera
devolvió a la historia, vida.

Alma Flor Ada

CONTENIDO

UNIDAD 3

Lazos familiares

Madrigal de un niño

Mamá me cogió en sus brazos
por complacer mis antojos
entre besos y entre abrazos.

Un secreto descubrí:
Mi madre lleva en sus ojos
mi retrato. Yo lo vi.

JUAN B. HUYKE

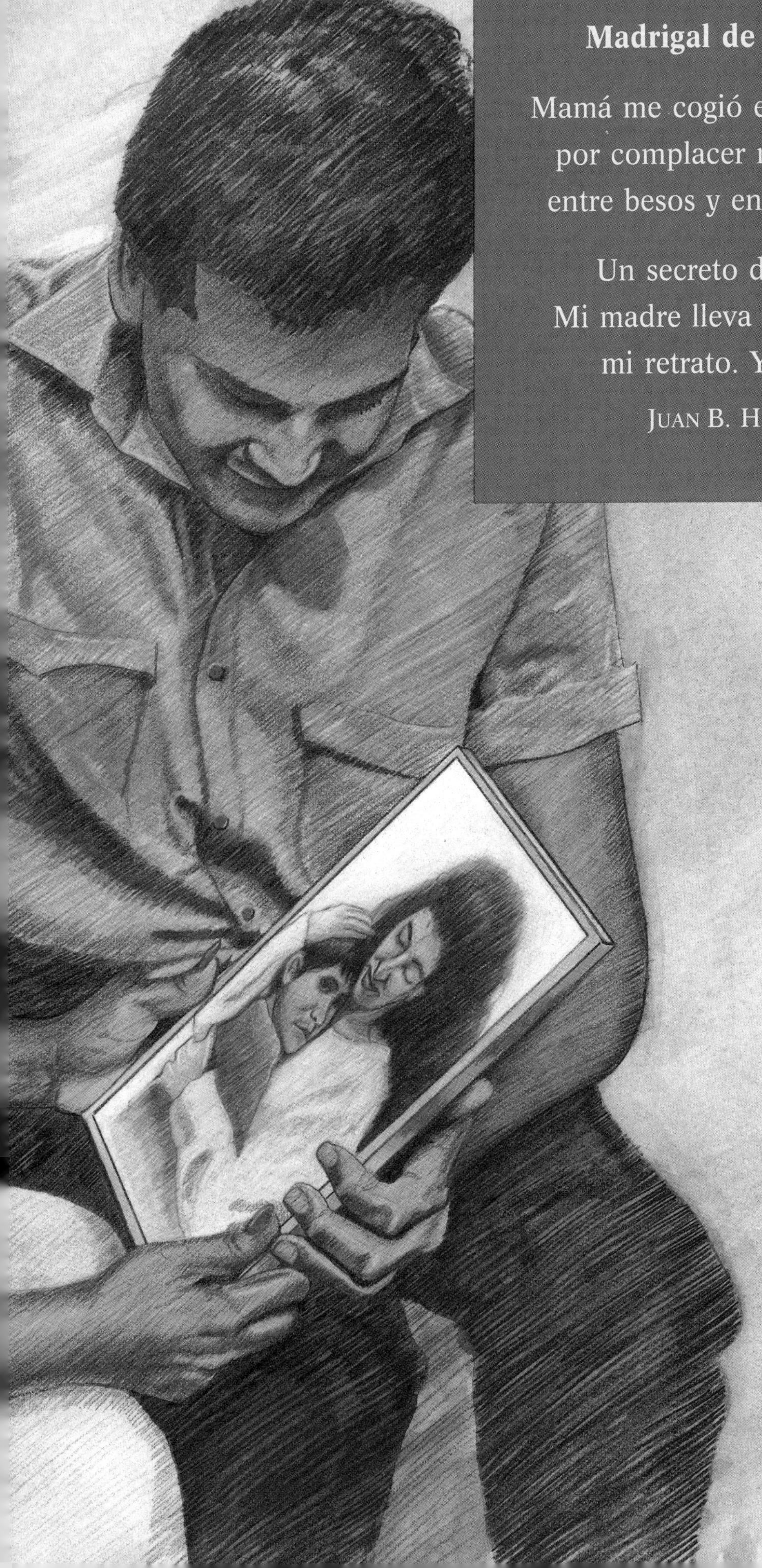

• CONOZCAMOS A •

VALERIE FLOURNOY

Valerie Flournoy pensaba en su familia cuando escribió el cuento "La colcha de retazos". Recordaba especialmente a su abuela Buchanan y lo mucho que se habían divertido juntas cuando Valerie era una niña.

Valerie Flournoy quisiera que los niños que lean este cuento sean respetuosos "no sólo con sus padres y abuelos, sino también con esa 'familia' que ya no está con ellos: sus antepasados".

·LA· COLCHA DE RETAZOS

VALERIE FLOURNOY
ilustraciones de JERRY PINKNEY

Tania estaba sentada inquieta al lado de la ventana de la cocina. Había estado en cama varios días con un resfrío. Ahora ya estaba bien. Tania tenía muchas ganas de salir a disfrutar del aire fresco y de la llegada de la primavera.

—Mamá, ¿cuándo podré salir? —preguntó Tania.

La mamá sacó una bandeja de galletas del horno y la puso en la mesa de la cocina.

—Ya llegará la hora —dijo en voz baja—. Todo a su tiempo.

Tania miró por la ventana y vio a sus dos hermanos, Ted y Jim, y a su papá. Construían una cerca nueva para el patio de atrás.

—Voy a hablar con la abuelita —dijo Tania.

La abuela estaba sentada en su lugar favorito, el sillón grande y cómodo que estaba al lado de la ventana. Tenía en la falda retazos de tela de muchos colores y texturas. Tania reconoció algunos de los retazos. El diseño de cuadros venía de la vieja camisa de trabajo de papá. Los retazos rojos eran de la camisa que se le había roto a Ted ese invierno.

—¿Qué vas a hacer con todos estos trapos, abuelita? —preguntó Tania.

—¿Trapos? Éstos no son trapos. De estos pedazos de tela voy a hacer una colcha, una colcha de retazos.

Tania movió la cabeza y dijo: —Yo sé lo que es una colcha de retazos, abuela. Tienes una sobre tu cama. Está toda vieja y sucia y mamá nunca consigue limpiarla bien.

—No está sucia, cariño —suspiró la abuela—. Está gastada, como debe estar una colcha.

La abuela estiró los dedos para que no se le adormecieran. Luego, suspiró y dijo: —Mi mamá me hizo una colcha de retazos cuando yo tenía tu misma edad, pero a veces las viejas costumbres se olvidan.

Tania se apoyó contra la silla y reclinó la cabeza en el hombro de la abuela.

En ese momento, entró la mamá con dos vasos de leche y unas galletas. Miró los retazos de tela que estaban por todas partes.

—Ay, abuela —dijo—. Acabo de limpiar este cuarto y ya está hecho un desorden otra vez.

—Ningún desorden, mamá —dijo Tania con la boca llena de galleta—. Esto que ves es una colcha.

—¡Una colcha! Tú no necesitas retazos para hacer una colcha. Yo te puedo conseguir una —dijo la mamá.

La abuela miró a su hija y luego se volteó para mirar a la nieta.

—Sí, tu mamá te puede conseguir una colcha en cualquier tienda. Pero no se parecerá a mi colcha de retazos, ni durará tanto tiempo.

La mamá miró a la abuela. Luego, recogió el vaso vacío de Tania y se fue a preparar la comida.

Los ojos de la abuela se pusieron oscuros y lejanos. Se dio vuelta y miró por la ventana. Acariciaba distraídamente entre sus dedos los retazos de tela.

—Abuelita, yo te ayudaré a hacer la colcha —dijo Tania.

—Gracias, cariño.

—Empecemos ahora mismo. La acabaremos en un abrir y cerrar de ojos.

La abuela abrazó a Tania. Le dio unas palmaditas en la cabeza y dijo:

—Me va a llevar bastante tiempo hacer esta colcha. No serán unos días ni una semana, ni siquiera un mes. Una buena colcha, una obra maestra...

Los ojos de la abuelita brillaron de sólo pensarlo y añadió: —Sí, voy a necesitar más tela. Más tela dorada y azul, un poco más de rojo y de verde. Y necesito tiempo para hacer un buen trabajo. Por lo menos un año.

—¡Un año! —gritó Tania—. Es demasiado. Yo no puedo esperar tanto tiempo, abuelita.

—Un año no es tanto, cariño —se rió la abuela—. Hacer esta colcha me va a dar mucha alegría. Ahora vete a jugar y deja que tu abuela descanse.

La abuela volteó la cabeza hacia el Sol y cerró los ojos.

—Voy a hacer una obra maestra —dijo en voz baja, agarrando un retazo de tela entre las manos, justo antes de quedarse dormida.

—Tendremos que comprarte unos pantalones nuevos y usar éstos como trapos —dijo la mamá mientras colgaba la última prenda en el tendedero una tarde de agosto.

Jim estaba tristísimo. Le habían remendado sus pantalones preferidos de pana azul una y otra vez, y ahora ya no había manera de repararlos.

—Tráemelos —dijo la abuela, y de la pierna del pantalón cortó unos cuadrados azules.

Jim le dio un abrazo y la miró mientras ella guardaba esos pedazos de tela con los demás.

—Una colcha nunca olvida. Una colcha cuenta la historia de tu vida —dijo la abuela.

La llegada del otoño trajo el comienzo de la escuela y la celebración del Día de las Brujas. Este año, Tania iba a disfrazarse de princesa africana. Tania bailó alrededor de la habitación con la larga túnica suelta que su mamá le había hecho con varias yardas de tela multicolor. Los brazaletes y aros viejos que había encontrado en un baúl del desván tintineaban alegremente cuando ella se movía. La abuela cortó unos cuadrados de los retazos que quedaban y ¡así metió también a Tania en la colcha!

Hacía más frío cada día, pero a Tania y a sus hermanos no les importaba. Sabían que la nieve no tardaría en llegar. En cambio, la mamá temía la llegada del invierno. Todos los años le rogaba a la abuela que se apartara de la corriente de aire que entraba por la ventana, pero la abuela no hacía caso.

—Abuela, por favor —reñía la mamá—. Siéntate aquí, al lado de la calefacción.

—No soy tu abuela, soy tu madre —decía la abuela—. Me voy a sentar aquí mismo, a la luz de Dios, y voy a hacer mi obra maestra.

El deseo de Ted, Jim y Tania se cumplió a finales de noviembre. Una mañana se despertaron y vieron que todo estaba cubierto de nieve. Tania se vistió y voló escaleras abajo. Ted, Jim, y hasta mamá y papá, ya estaban afuera.

—No me gusta dejar sola en la casa a la abuela —dijo la mamá—. Yo sé que se siente muy sola.

Tania se levantó con mucho cuidado para no arruinar la silueta de ángel que había dejado en la nieve.

—La abuela no está sola —dijo Tania alegremente—. Ella y la colcha están contándose cuentos.

La mamá miró a Tania con curiosidad y le preguntó:

—¿Contándose cuentos?

—Sí, ¡la abuelita dice que una colcha nunca olvida!

La familia pasó la mañana entera y la mayor parte de la tarde deslizándose en trineo por la colina. Cuando ya todos estaban helados de frío, entraron por fin para tomar chocolate caliente y comer sándwiches.

—Creo que iré a sentarme a hablar con la abuela —dijo la madre.

—Así te podrá hablar de nuestra colcha, nuestra colcha familiar —dijo Tania.

La madre vio la travesura reflejada en los ojos de su hija menor.

—Pues, señorita, quizá eso sea justo lo que le pida que haga —contestó la mamá mientras salía de la cocina.

Tania se inclinó sobre la mesa para poder ver la sala. La abuelita estaba encorvada, dando pequeñas puntadas con los ojos pegados a la tela. La mamá estaba sentada a los pies de la viejecita. Tania no podía oír lo que decían. Sin embargo se dio cuenta de que la abuela le contaba a su mamá todo lo que sabía de las colchas, y lo especial que sería *esta* colcha. Tania bebió su chocolate a sorbos, luego vio a su mamá recoger un pedazo de tela, acariciarlo con los dedos y sonreír.

Desde ese momento, las dos mujeres pasaron las noches de invierno trabajando en la colcha. La mamá cosía mientras la abuela cortaba la tela y formaba diseños de colores con los retazos. Aunque de día tuvieran que cocinar y hornear las comidas navideñas, de noche trabajaban en la colcha. Solamente una vez la mamá dejó la colcha de lado. Quería lucir algo especial para la noche de Navidad, así que compró una tela dorada y se hizo un vestido lindo. Tania sabía, sin tener que preguntar, que los retazos dorados que habían sobrado formarían también parte de la colcha.

Esa Navidad hubo muchos cantos y muchas risas. Todos los hijos e hijas, sobrinos y sobrinas de la abuela fueron a visitarla. Las lucecitas del árbol de Navidad brillaban alegremente, llenando el salón de colores centellantes. Luego, cuando los invitados habían regresado a sus casas, el papá dijo que nunca había sentido la casa llena de tanta felicidad. Y la mamá estuvo de acuerdo.

Cuando Tania bajó a la mañana siguiente, encontró a su papá preparando los panqueques.

—¿Hoy también es un día especial? —preguntó Jim.

—¿Dónde está mamá? —preguntó Tania.

—La abuelita no se siente bien esta mañana —dijo el papá—. Mamá está acompañándola hasta que llegue el doctor.

—¿Se va a mejorar la abuela? —preguntó Ted.

—No hay de qué preocuparse —dijo el papá, mientras le acariciaba la cabeza a su hijo y sonreía—. Vamos a cuidar muy bien de la abuelita.

Tania miró hacia la sala. Allí, sobre el respaldo del sillón, estaba la colcha, toda dobladita, tal cual la había dejado la abuela.

—Abuela no quería que supiéramos que no se sentía bien. Creía que nos iba a arruinar la Navidad —les contó la mamá después, con la cara cansada y los ojos rojos e hinchados—. Ahora nos toca a nosotros estar calladitos y ayudarla a sentirse lo más cómoda posible.

El papá abrazó a la mamá.

—¿Podemos ver a la abuelita? —preguntó Tania.

—No, esta noche no —dijo el papá—. La abuelita necesita mucho descanso.

En la víspera de Año Nuevo, casi una semana más tarde, se les permitió a los niños ver a su abuela. Hablaba en voz baja y se la veía cansada.

—Te hemos extrañado, abuelita —dijo Ted.

—Y a tus bizcochos y a tu chocolate caliente —dijo Jim.

La abuela sonrió.

—Tu colcha también te extraña, abuelita —dijo Tania.

La sonrisa huyó de los labios de la abuela y se le nublaron los ojos.

—¡Mi obra maestra! —suspiró—. Qué bella hubiera sido. Y se quedó a medio hacer.

La viejita apartó la vista de sus nietos y cerró los ojos. El papá dijo en voz baja que ya era hora de irse. Ted, Jim y Tania salieron del cuarto con mucho cuidado.

Tania caminó lentamente hacia donde había quedado la colcha. Tania había visto a su mamá y a la abuela cuando cosían la colcha, y se puso a pensar. Sabía cortar retazos, pero de lo demás no estaba segura. En ese momento sintió una mano en el hombro. Alzó la vista y vio a su mamá.

—Mañana —dijo la mamá.

El día de Año Nuevo fue el comienzo. Después de terminar de lavar y guardar los platos, Tania y su mamá examinaron la colcha.

—Corta más cuadrados, Tania, mientras yo coso los parches —dijo la mamá.

Tania cortó y cortó retazos de tela hasta que le dolieron las manos. La mamá la observaba con atención para asegurarse de que todos los cuadrados fueran del mismo tamaño. Al día siguiente fue lo mismo. Cortar y cortar. Pero la mamá no siempre podía estar allí para ayudarla. Había que cuidar de la abuela. Así fue que Tania comenzó a trabajar sin ayuda. Luego, una noche mientras el papá les leía cuentos, Jim se acercó y miró la colcha. En ella vio unos retazos de azul, su azul. Sin decir nada, Jim levantó las tijeras y unos retazos y empezó a cortar cuadrados. Ted ayudó a Jim a juntar los cuadrados mientras la mamá enseñaba a Tania a unirlos.

Cada día, apenas llegaba de la escuela, Tania se ponía a coser la colcha. Ted y Jim estaban muy ocupados con los deportes. La mamá cuidaba de la abuela, por lo que Tania cosía sola. Pero un par de semanas después, dejó de trabajar. Algo andaba mal, algo faltaba, pensaba Tania. Durante varios días la colcha se quedó en el respaldo del sillón. Nadie sabía por qué Tania había dejado de trabajar. Por qué, en cambio, se sentaba a mirar la colcha. Al fin, Tania se dio cuenta. No era que faltara *algo*: en la colcha faltaba *alguien*.

Esa noche, antes de acostarse, entró de puntillas al cuarto de la abuelita, con unas tijeras en la mano. En silencio, levantó una esquina de la colcha vieja de la abuela y cuidadosamente cortó algunos cuadrados.

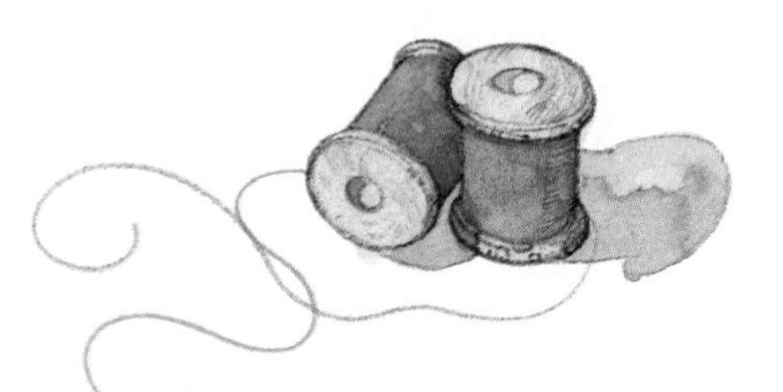

Febrero y marzo llegaron y pasaron mientras la madre miraba orgullosamente a su hija, que cosía las últimas hileras de parches. Tania siempre encontraba tiempo para coser la colcha. La abuela también observaba. Con el paso de los meses, la viejecita había ido recuperando más y más fuerzas. Cuando ya estuvo bastante mejor, el papá comenzó a llevarla al sillón al lado de la ventana.

—Necesito la luz de Dios —decía la abuela. Luego, se sentaba a canturrear en voz baja y a mirar a Tania trabajar.

—Sí, mi hijita, esta colcha va a ser una belleza —decía la abuela.

Las vacaciones de verano estaban a punto de llegar. Un día de junio, Tania llegó a casa y ¡se encontró con que la abuela estaba cosiendo la colcha otra vez! Había terminado de coser los últimos cuadrados, colocado el relleno y ya estaba sujetando el forro con alfileres.

—¡Abuelita! —gritó Tania.

La abuela alzó la vista y dijo: —Tranquila, mi nieta. Ya llegó el momento de acolchar estos parches. Pero primero me falta dar los últimos retoques...

A la noche siguiente, la abuela cortó el último hilo con los dientes.

—Ya está. Terminé —dijo.

La mamá ayudó a la abuela a extender la colcha. Nadie se había dado cuenta de lo grande y linda que se había puesto. Colores rojos, verdes, azules y dorados, en matices claros y oscuros, se combinaban armoniosamente en la colcha.

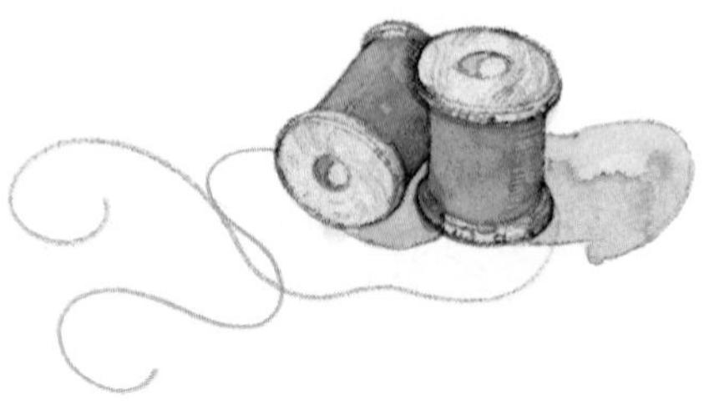

—¡Qué bella! —dijo el papá. Tocó el parche dorado, miró a la mamá y se puso a recordar.

También Jim se puso a recordar. Allí estaba su azul y el rojo de la camisa de Ted. Allá estaba el disfraz que Tania llevó el Día de las Brujas. Y allí estaba la abuela. Aunque su parche era viejo, hacía juego perfectamente con todos los demás.

Todos se acordaron del año pasado. Se acordaron especialmente de Tania, y de todo el trabajo que había hecho. Por eso estaba decidido. En la esquina derecha de la última hilera de parches, delicadamente bordado decía: "Para Tania, de tu mamá y tu abuelita".

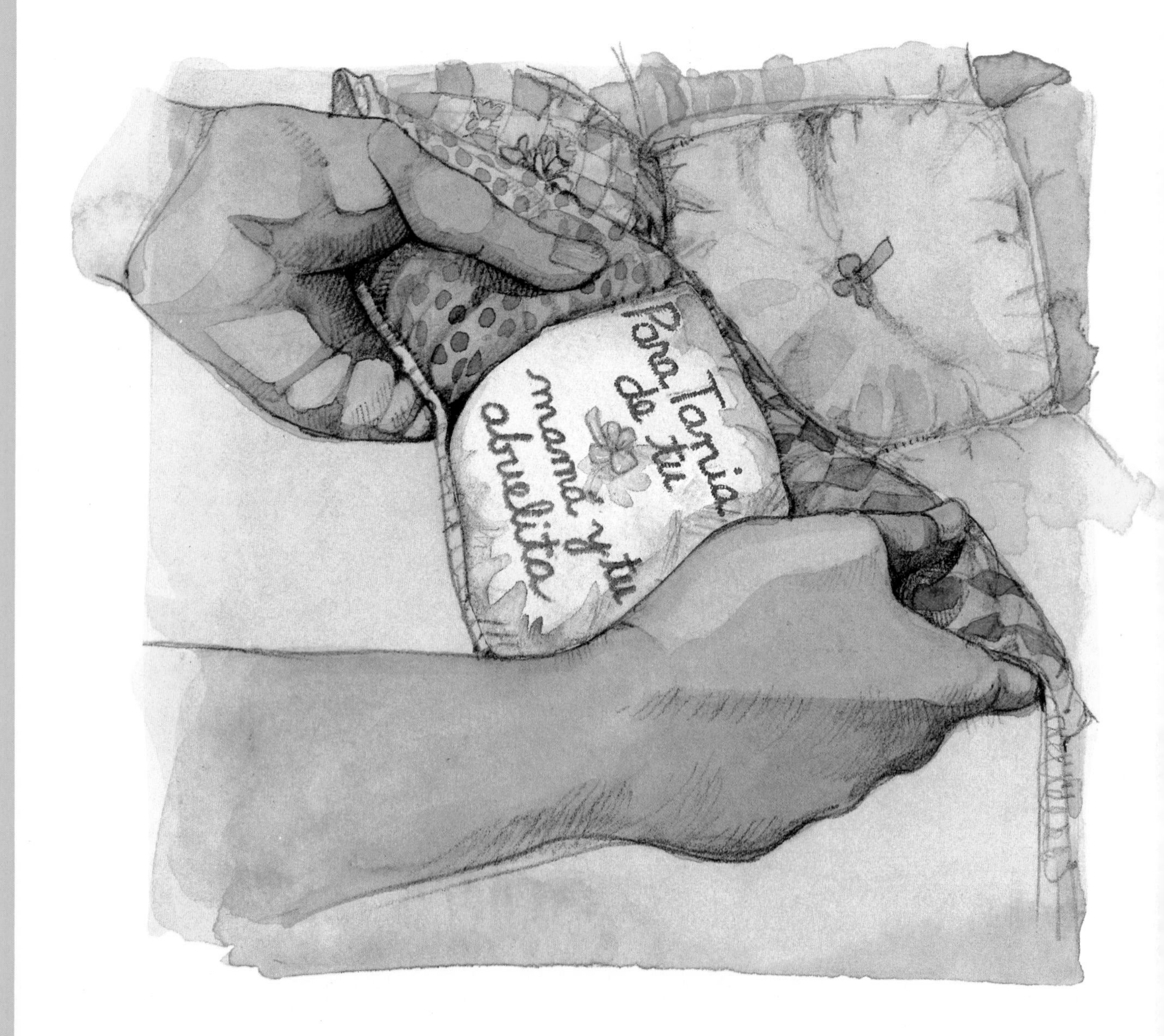

• CONOZCAMOS A •

JERRY PINKNEY

Los maestros de la escuela primaria de Jerry Pinkney con frecuencia le pedían que dibujara en el pizarrón para los proyectos de la clase. Pinkney dice que esto lo hacía sentirse muy bien, porque siempre le ha gustado dibujar.

Hoy Jerry Pinkney pasa bastante tiempo en las bibliotecas. Ahí investiga para poder poner en sus ilustraciones sólo los detalles que éstas deben llevar. Algunos de esos detalles los puedes ver en el libro *La colcha de retazos*, que ganó el Premio Coretta Scott King de Ilustración.

Gallo que canta tallado por la familia Blas

María Jiménez Ojeda dando los toques finales a una talla

MADERA!

¡Pollos danzantes! ¡Leones morados! ¡Reyes y cactus! ¿De dónde vienen? ¿Cómo los hacen?

Familias enteras en Oaxaca, México, trabajan en equipo para producir estas imaginativas tallas en madera. Con machetes y cuchillos de cocina, adultos y jóvenes tallan las figuras en madera de copal. Los niños más pequeños lijan las esculturas. La pintura les toca a otros miembros de la familia. Hasta los animales domésticos ayudan al dar los toques finales. Trozos del pelo de éstos se usan para hacer las colas, crines y patillas de las esculturas.

La talla no es nada nuevo para la gente de Oaxaca. Desde hace más de 500 años, en Oaxaca se han tallado máscaras y juguetes en miniatura. Lo nuevo es que ahora la gente de otras partes tiene la oportunidad de ver y comprar estas tallas.

Gato de Margarito Melchor

Pollos danzantes de Ventura Fabián

Margarito Melchor Fuentes y su esposa, María Teresa Santiago, tallando dos piezas

En un barrio de LOS ÁNGELES

el español
lo aprendí
de mi abuela

mijito
no llores
me decía

en las mañanas
cuando salían
mis padres

a trabajar
en las canerías
de pescado

mi abuela
platicaba
con las sillas

les cantaba
canciones
antiguas

les bailaba
valses en
la cocina

cuando decía
niño barrigón
se reía

con mi abuela
aprendí
a contar nubes

a reconocer
en las macetas
la yerbabuena

mi abuela
llevaba lunas
en el vestido

la montaña
el desierto
el mar de México

en sus ojos
yo los veía
en sus trenzas

yo los tocaba
con su voz
yo los olía

un día
me dijeron:
se fue muy lejos

pero yo aún
la siento
conmigo

diciéndome
quedito al oído
mijito

Francisco X. Alarcón

Tía Carmen y

Conozcamos a
Consuelo Armijo

Consuelo Armijo escribe cuentos y poesías muy divertidos. "Tía Carmen y tío Leopoldo" es uno de los cuentos de su libro *Aniceto, el vencecanguelos*.

Aniceto tiene muchas dificultades que vencer. Y se preocupa mucho. Pero, poco a poco se va dando cuenta de que a los miedos se los vence haciéndoles frente. Como dice el dicho, "no es tan fiero el león como lo pintan". Y como en España a los miedos les dicen canguelos, a Aniceto lo llaman "el vencecanguelos".

Con este libro, Consuelo Armijo ganó en España el Premio Nacional de Libros Infantiles en 1982. Consuelo Armijo ha escrito también: *Los batautos*, *Bam, Bim, Bam, arriba el telón*, *Moné* y *Risas, poesías y chirigotas.*

tío Leopoldo

Consuelo Armijo

Aniceto tenía unos tíos muy altos. Se llamaban Carmen y Leopoldo. Andaban muy tiesos y a Aniceto le daban mucha vergüenza.

Un día su madre le dijo:

—Mañana vienen a comer tus tíos Carmen y Leopoldo. ¡A ver cómo te portas!

A Aniceto no le hizo ninguna gracia la idea.

—¿No puedes decir que me he ido al Perú? Comeré en la cocina sin que me vean.

—¡Pero qué tonterías dices, Aniceto! ¿Cómo te vas a haber ido tú solo al Perú?

—No, si no me he ido. Pero digo que si puedes...

—¡A callar! ¡Comerás en la mesa con todo el mundo!

Aniceto se quedó muy preocupado. ¡Con la vergüenza que le daban sus tíos!

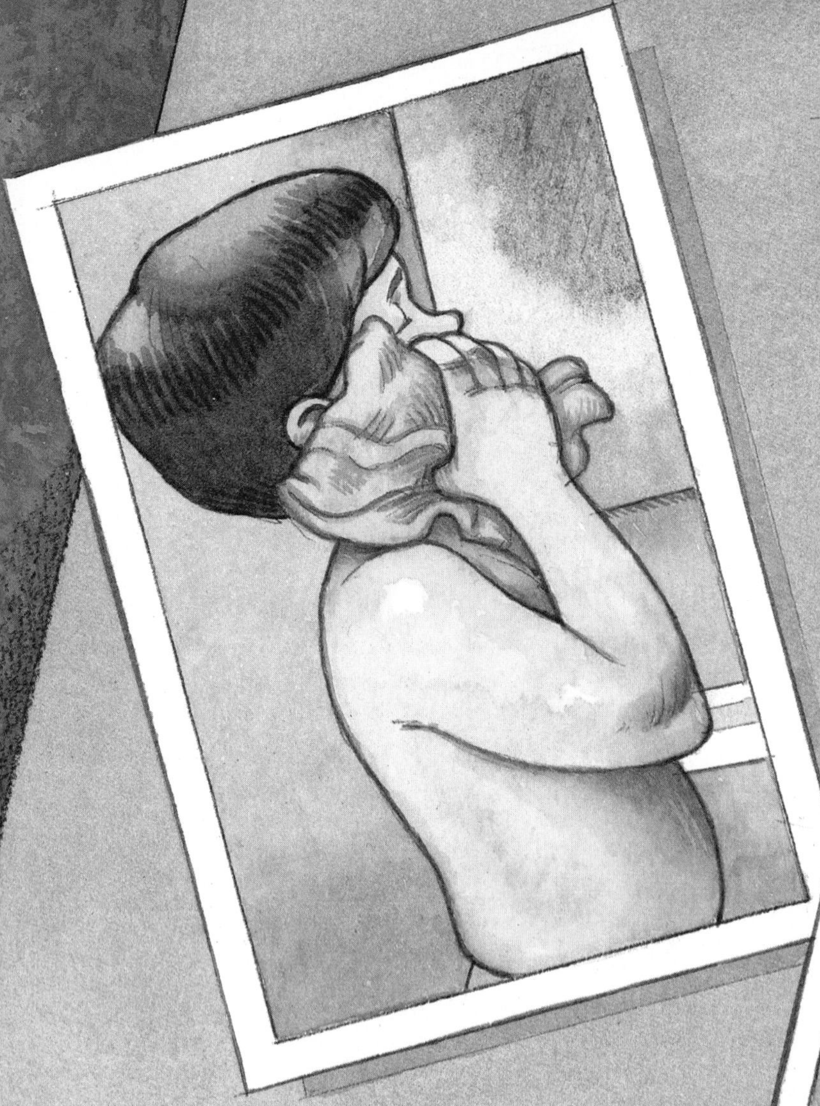

Amaneció el día siguiente, y Aniceto se levantó con el pie izquierdo, que dicen que da mala suerte. Luego se lavó la cara con la mano derecha, se peinó con un peine de concha, y fue a desayunar.

Su madre estaba atareada en la cocina haciendo canapés para el aperitivo.

—Aniceto, por favor, ¿quieres llevar esta bandeja al cuarto de estar?

Aniceto cogió la bandeja, que era una preciosidad. Canapés rojos, verdes, de todos los colores estaban colocados en filas con gran armonía. Pero Aniceto estaba muy nervioso pensando en cómo saludaría a sus tíos, tan altos, tan tiesos y ni se fijó. Igual no llegaba a darles un beso, de altos que eran, seguía pensando Aniceto, y los canapés empezaron a menearse en la bandeja, y en esto, yo no sé cómo fue, que todos se cayeron al suelo.

Aniceto los volvió a colocar lo mejor que pudo (no quedaron mal). Luego fue al cuarto de baño, y con una esponja limpió el suelo. ¡Ya estaba! Allí no había pasado nada. Su madre ya le llamaba:

—Aniceto, ¿quieres colocar estas copas encima de la mesa?

Aniceto cogió la bandeja, y mientras la llevaba pensaba si sería mejor dar la mano a sus tíos en vez de un beso, o procurar que no le vieran y no saludar de ninguna manera. Y entonces tropezó, y todas las copas se cayeron y empezaron a rodar por la alfombra. ¡Menos mal que no se rompieron!

Aniceto las volvió a colocar y decidió irse a pasear. Si seguía en casa y su madre le pedía más favores ¡vaya usted a saber lo que podía pasar!

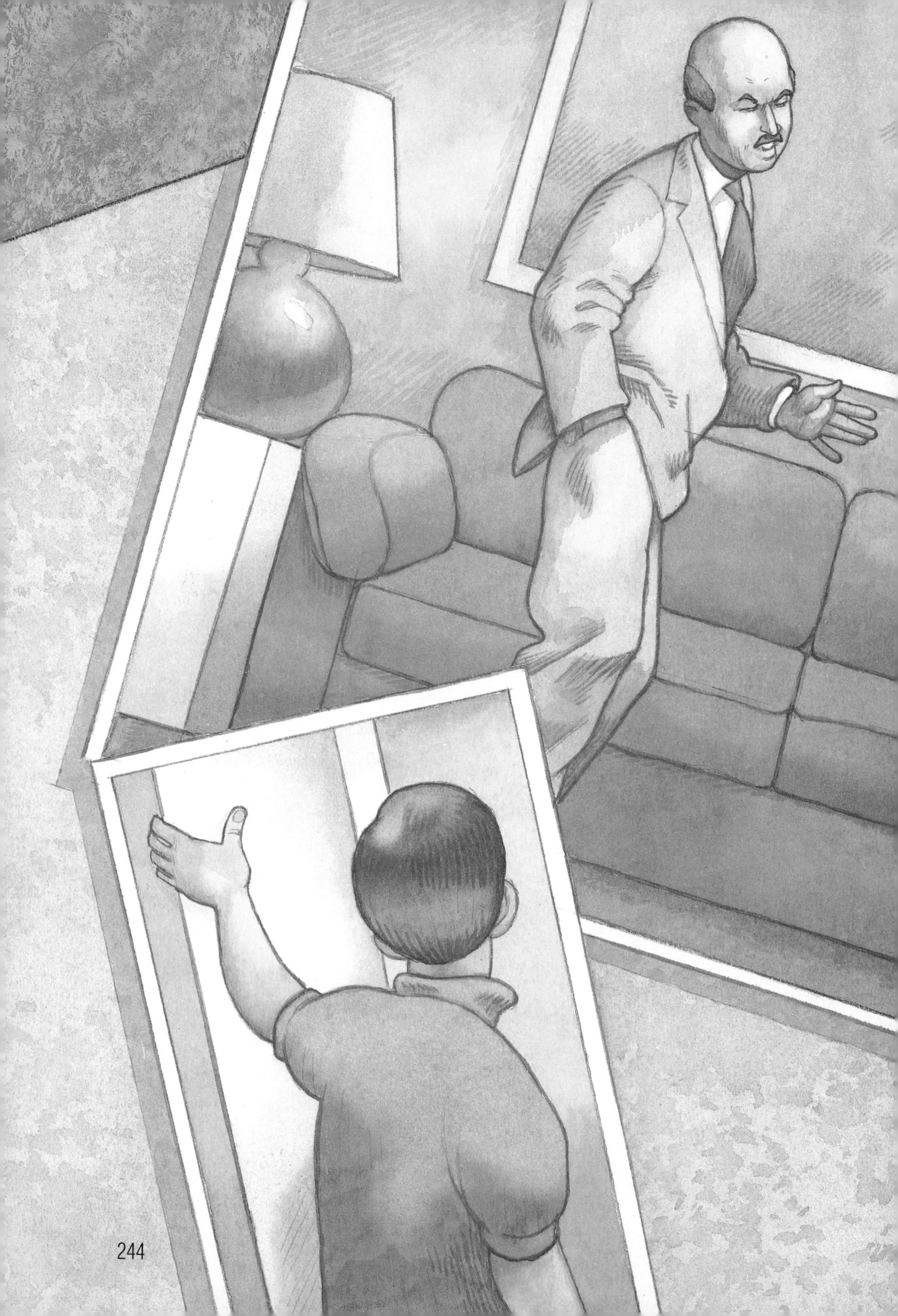

Cuando volvió ya era casi la hora de comer. Sus tíos acababan de llegar. Estaban solos en el cuarto de estar. La puerta estaba abierta y Aniceto no se atrevía a pasar. Se quedó pegado a la pared del hall tomando valor, y desde allí, por una rendija, vio... y oyó...

—Estoy preocupado —decía el tío Leopoldo—. Hace tanto que no nos vemos que no sé de qué vamos a hablar en esta comida.

—Bah! No te apures y pásame un canapé —dijo la tía Carmen.

El tío cogió la bandeja, pero debía de estar nervioso porque los canapés empezaron a menearse y todos cayeron al suelo.

—Seguro que es que está pensando en cómo va a saludar —se dijo Aniceto.

—¡Qué torpe eres! —dijo la tía—. Ayúdame a recogerlos.

Entre los dos lo hicieron, pero no los dejaron tan bien como Aniceto.

"Claro, como no es su casa, están más apurados" pensó Aniceto con condescendencia.

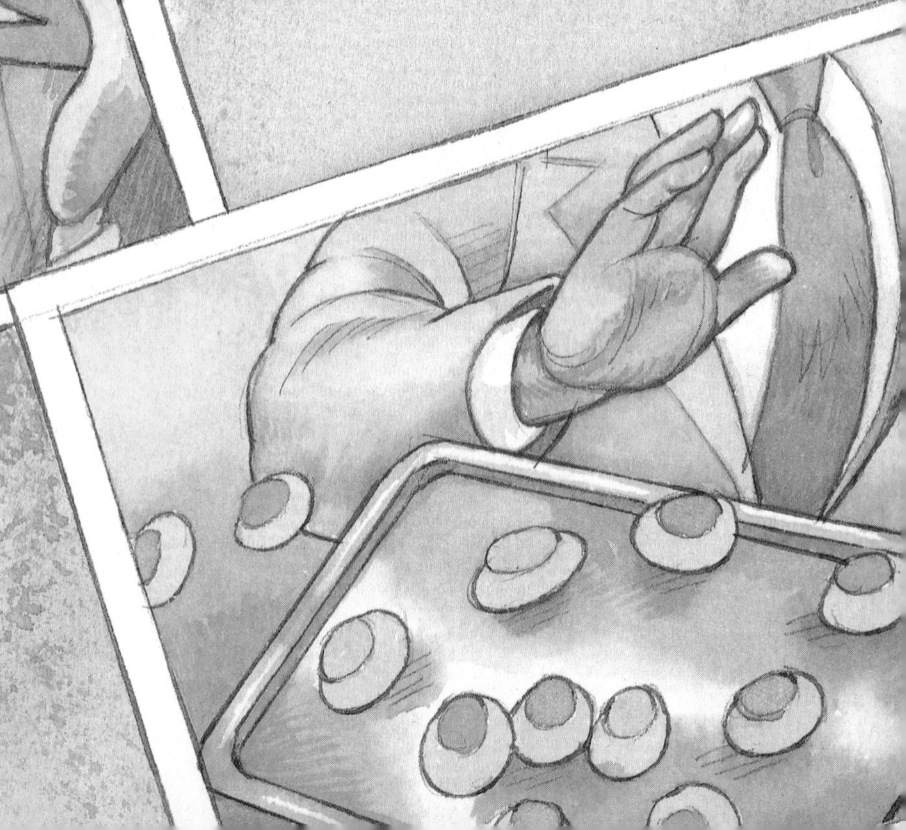

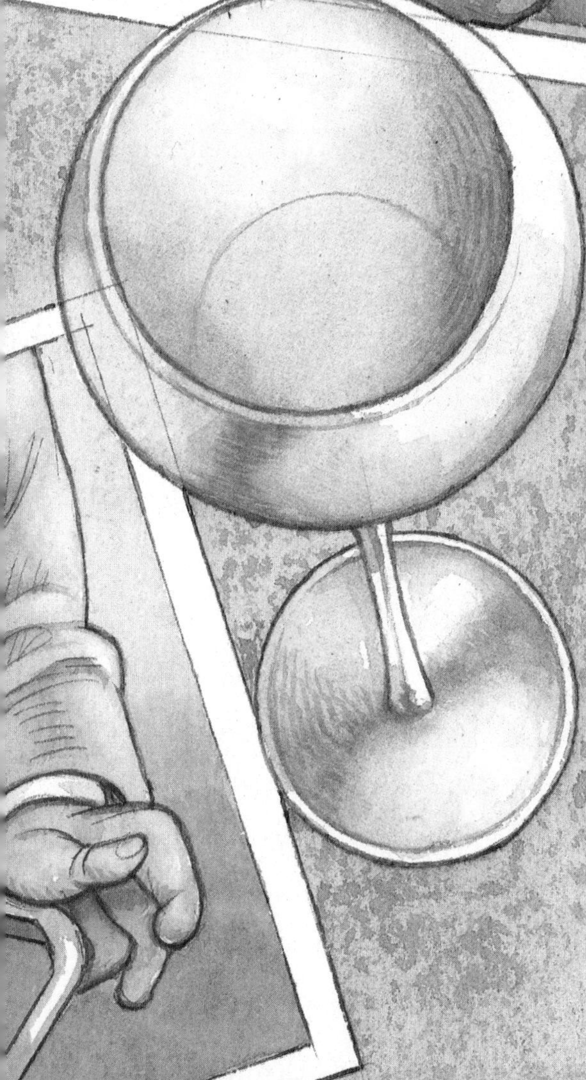

Ahora los tíos estaban limpiando el suelo con un pañuelo, y en esto la tía dio un empujón con el trasero a la bandeja de las copas y ¡todas se cayeron a la alfombra! A Aniceto le entraron ganas de reír.

—¡Eres tonta! —dijo el tío.

—¡Calla y ayúdame a colocarlas! ¡Dios mío, qué vergüenza! ¡Menos mal que no se han roto!

Las colocaron, pero ¡algunas del revés!

A Aniceto le dieron lástima. Esperó a que hubieran acabado y luego entró para darles ánimo y demostrarles que lo iban a pasar muy bien comiendo con él.

—¡Hola, tía Carmen, hola, tío Leopoldo! —dijo dándoles un beso.

Y no hubo problema ninguno. ¡Los tíos se agacharon!

La tía Carmen era alta y muy guapa, y el tío Leopoldo estaba calvo de tanto pensar, y era director, o presidente, o algo importante de algún sitio también importante, pero el caso es que tiraba los canapés igual que Aniceto, aunque luego los recogiera peor.

"Todos somos iguales" pensaba Aniceto, magnánimo, mientras contestaba sonriendo a las preguntas algo tontas que le hacía la tía Carmen.

¡Qué bobo había sido! ¿Valía la pena tener vergüenza de una señora que tira las copas con el trasero?

PARIE

¿Qué clase de gente
son mis parientes?
De todas clases:
los hay grandotes (mi hermano Roque)
y chiquitos (Luis, mi primito);
los hay muy viejos (mis bisabuelos)
y nuevecitos (puros bebitos);
los hay muy gordos (mi tío Arnoldo)
y muy flaquitos (tía Milagritos).
Pero, eso sí, todos sonrientes:
gente sonriente son mis parientes.

Juan Quintana

NTES

Álbum familiar

La niña enlunada
Carlos Murciano
ilustraciones de Asun Balzola
Ediciones SM, 1988

Marita debe decidir entre vivir con un unicornio y otros personajes fantásticos o quedarse para siempre con sus padres. ¡Y sólo tiene hasta la próxima luna llena para tomar su decisión! ¿Qué decidirá Marita?

Mi papá y yo somos piratas
Jesús Zatón
ilustraciones de Teo Puebla
Ediciones Júcar, 1987

El niño de este cuento y su papá juegan a cosas divertidas antes de irse a acostar. Hoy se han convertido en piratas que se hacen a la mar. ¡Oh no! Algo interrumpe la aventura...

El desayuno de Tomás
Ivor Cutler
ilustraciones de H. Oxenbury
libro en español de Miguel Azaola
Ediciones Altea, 1982

Tomás y su mamá jugaban juntos y siempre la pasaban bien. Un día plantaron una semilla de ciruela debajo de la casa. Y ahora, ¿qué va a suceder?

Un día en la vida de Catalina

Berta Hiriart ◆ ilustraciones de Claudia de Teresa

Una noche Catalina despertó de repente, con el corazón latiéndole a mil por hora. La oscuridad era casi total, sólo se escurría por los maderos de su ventana una luz coloradita que le hizo saber que estaba amaneciendo. Se dio cuenta de que lo que la había despertado era toda una colección de ruidos que llenaban la casa. Se quedó quieta, aguantando la respiración para poder oír mejor: pasos en la cocina, voces en la calle, puertas que se abrían y se cerraban.

—¡Mamá! —llamó, pero su voz sonó tan débil que se confundió con todos los otros ruidos de la casa.

—¡Mamá! —repitió, haciendo un esfuerzo por gritar.

Enmedio de la noche, Catalina distinguió las pintas blancas del delantal de su abuela que se acercaba.

—Ya, ya —dijo la abuela—, mamá ha salido pero aquí estoy yo.

Catalina sabía que había llegado el momento del que su mamá le había hablado tanto.

—¿Qué pasa, abuela? ¿Ya va a nacer?

—Sí, sí, ya se fueron a la clínica —respondió la abuela.

—¿Y cuándo van a regresar?

—Si todo sale bien, hoy mismo en la tarde. Y ahora, a dormir, que éstas no son horas para estar todavía despierta.

La abuela cobijó a Catalina, le dio un beso en la punta de la nariz y ya estaba por salir, cuando su nieta la llamó de nuevo: —Abuela, ¿ya no se puede devolver al niño?

La mujer se rió de buena gana y Catalina pudo mirar el brillo de sus dientes de oro, lo que la hizo acordarse de su propio diente flojo y comenzar a menearlo con la lengua.

—Qué cosas se te ocurren —dijo la abuela—, claro que no. Cuando un niño llega a este mundo ya no se le puede devolver. ¿A dónde quieres que se vaya el inocente? —y caminó hacia la otra pieza riendo todavía.

—No cierre usted la puerta —pidió Catalina.

Desde su cama, la niña miró cómo su abuela encendía la lámpara de la cocina y se sentaba a bordar una más de las camisitas para el bebé. Eran lindas las costuras que su abuela hacía para los recién nacidos, con sus encajes y sus florecitas bordadas. También a Catalina le hizo una docena de camisas cuando iba a nacer, pero de eso Catalina ya no se acordaba, por ello sentía cierta tristeza al mirar a la abuela. "Ya sólo piensan en el niño", se decía a sí misma. Y mientras repasaba todas las cositas que habían preparado para él, comenzaba a adormilarse en el suave calor de sus cobijas. Pero apenas entraba a un sueño más profundo, se le venían pesadillas horribles a la cabeza.

—Abuela, tengo sed —dijo Catalina, más que porque realmente tuviera sed, por distraerse de las feas imágenes de sus sueños.

—Ya duérmete, Cata —respondió la abuela.

A Catalina le dieron ganas de preguntar a su abuela por qué ella se quedaba despierta, pero no se atrevió. La luz que se colaba por las rendijas era cada momento más amarilla.

—No puedo dormir, la sed no me deja.

—Bueno, pues creo que no va a quedar más remedio que comenzar el día. Ven Cata, vamos a tomarnos un tecito.

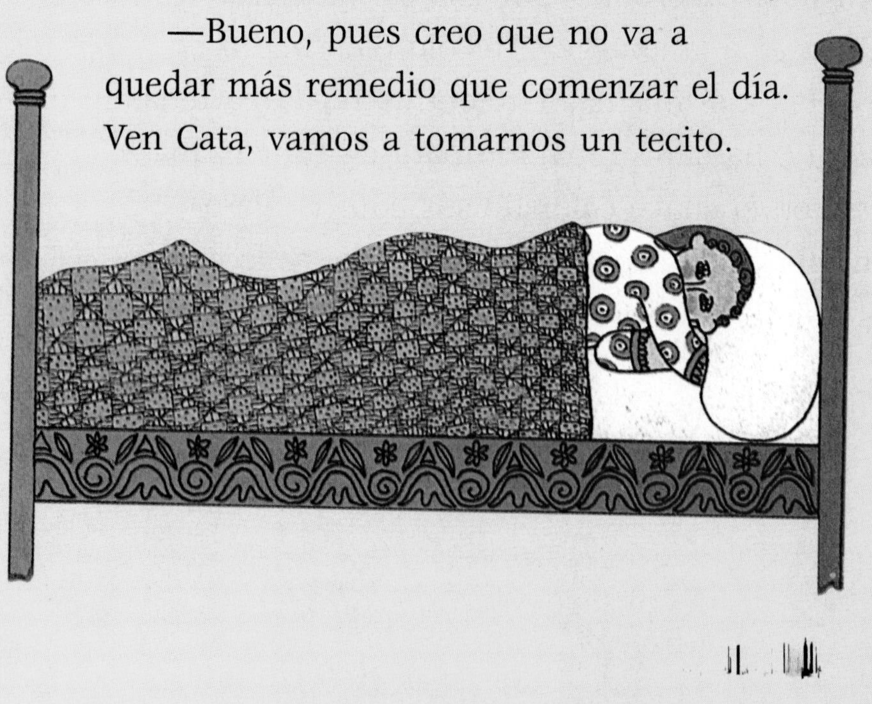

Catalina fue abriendo las ventanas, que eran tres en total, y por cada ventana iba entrando un poco de luz de la mañana y también los primeros sonidos callejeros: el repiqueteo de las campanas, los llantos de los recién nacidos, uno que otro ladrido y algunas voces.

—Ándale, Cata, ¿qué tanto piensas? —dijo la abuela, mientras se peinaba sus largos cabellos blancos y miraba a su nieta calentarse las manos con el vapor del té de yerbabuena que le había preparado—. Apúrate que tenemos mucho quehacer. No le va a gustar a tu hermano encontrar una casa con tanto tiradero. Ándale, tú encárgate de los trastes, mientras yo doy una buena trapeada.

Estaba Catalina lavando los platos y las ollas cuando comenzó a dolerle la panza, pero no como duele cuando se han comido demasiados cacahuates, sino con ese dolorcito que da la preocupación. Solamente otra vez había sentido esa cosa tan rara: el primer día de clases. Se acordó de aquel día, cuando iba camino a la escuela con su mamá, y de las ganas que tenía de que algo pasara, algo que le ayudara a no tener que entrar. Lo que no lograba recordar era cómo se había aliviado el dolor. Sólo sabía que no le había durado mucho tiempo.

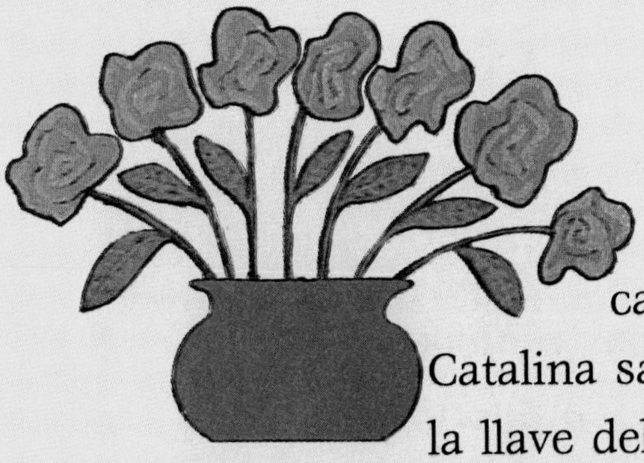

Unas voces que venían de la calle interrumpieron sus recuerdos. Catalina salió corriendo, sin siquiera cerrar la llave del agua, pero solamente encontró a una vecina que se encaminaba a los lavaderos con sus hijos pequeños.

—Buenos días —saludó Catalina, desilusionada de que no fueran su mamá y su hermano.

—Buenos, Cata —contestó la mujer—, ¿qué fue la criatura, niño o niña?

—No sé, no han regresado todavía —dijo Catalina, que con lo nerviosa que estaba ya no podía ni hablar.

—A mediodía vengo a ver si hay noticias.

Catalina se quedó recargada en la puerta, viéndolos alejarse. "Ojalá que sea niña", pensó. "Los niños son muy peleoneros."

Y quién sabe cuánto tiempo se quedaría distraída con sus pensamientos. El hecho es que de pronto oyó que su abuela le gritaba desde la cocina:

—¡Catalina, mira nada más lo que has hecho!

Cuando Catalina volvió la cabeza, vio con horror que el fregadero estaba convertido en una cascada y que la cocina estaba completamente inundada.

GALLETAS
SAL

—Perdóneme, abuela —y, por más que quiso, no pudo detener las lágrimas que le salían tan irremediablemente como el agua que corría por toda la casa.

—Bueno, bueno no es para tanto —la consoló la abuela—, vamos a terminar la limpieza y camino del mercado nos tomamos una nieve.

Catalina sintió que aquel día era el más largo de su vida. Incontables veces se asomó al camino por donde debía llegar su mamá, y a cada rato le parecía oírla entrar a la casa.

Cuando volvían del mercado, se dieron cuenta de que la casa no estaba como la habían dejado. Alguien había cerrado las ventanas.

—Ya llegaron —dijo la abuela, mientras apresuraba tanto el paso que, sin darse cuenta, iba dejando un camino de tomates que se caían de la canasta. Catalina, en cambio, avanzó muy despacito, levantó los tomates y se quedó a unos pasos de la puerta, sin saber bien qué hacer. Desde ahí escuchó la voz de su tío, quien contaba que todo había salido a las mil maravillas. Luego oyó a la abuela que decía quedito que Catalina había lloriqueado buena parte del día. Inmediatamente su madre apareció en la puerta. Caminaba con dificultad. Estaba más gorda de lo que Catalina se imaginaba que quedaría después del parto.

—Cata, fue niña —le dijo—. Ven a verla.

Catalina se acercó lentamente, como si su mamá fuera una persona a la que no conocía muy bien, guardó los tomates en la bolsa de su delantal y estiró los brazos hacia ella.

—No te puedo cargar, Cata —le explicó su madre, y con muchos trabajos se sentó en el escaloncito de la entrada para quedar del mismo tamaño que la niña.

Catalina reclinó la cabeza en su hombro y aspiró el suave olor a canela de sus trenzas.

Cuando entraron a la casa, Catalina casi se desmaya de la impresión. Habían cambiado de lugar todos los muebles. Su cama había quedado en un rincón del cuarto y en la mesa que ella ocupaba para hacer la tarea estaba la canasta del bebé. Por todos lados había pañales, ollas con agua caliente y quién sabe cuántas cosas más. Catalina hizo un esfuerzo enorme para que nadie notara lo mal que se sentía. Caminó hacia la cuna y se paró sobre la punta de sus zapatos para poder mirar a su hermana.

"Es demasiado chica", fue lo primero que pensó mientras movía con la lengua su diente flojo, "y además es aburrida". Y en efecto, era tan pequeñita y estaba tan quieta que parecía más una muñeca de trapo que un ser humano; estaba envuelta como tamal y casi lo único que se le veía era su cabecita peluda. Catalina alargó la mano y tímidamente acarició los cabellos desordenados de su hermana. "Son como de conejo", pensó. Y poco a poco se iba aliviando del dolor de panza y sintiéndose terriblemente cansada.

Le costó varios meses acostumbrarse a la idea de que tenía una hermana pero, finalmente, porque además en esos casos no queda otro remedio, aprendió a vivir con ella.

Conozcamos a Berta Hiriart

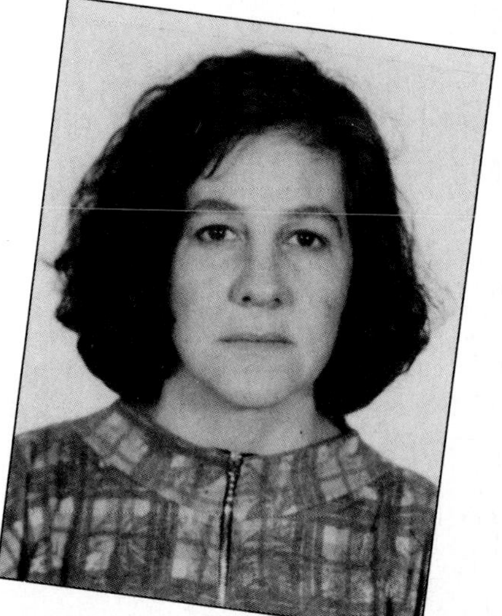

Berta Hiriart es una escritora mexicana que se dedica al teatro, la radio, la televisión y el periodismo.

Uno de los temas preferidos de Berta Hiriart es la familia. Con el cuento "Un día en la vida de Catalina", Berta Hiriart quiere acercarse a los niños que van a tener un hermanito o hermanita. Quiere decirles que no se sientan solos porque, aunque todos están pendientes del bebé, nadie se olvida de los niños más grandes.

Otros libros de Berta Hiriart son: *Las aventuras de Polo y Jacinta* y *Los títeres*. En *Los títeres*, la escritora mexicana relata la historia de una familia de titiriteros, que son las personas que hacen y presentan los espectáculos de títeres. A Berta Hiriart le gustaría que los niños de su país y los niños de todo el mundo hagan su propio teatro de títeres.

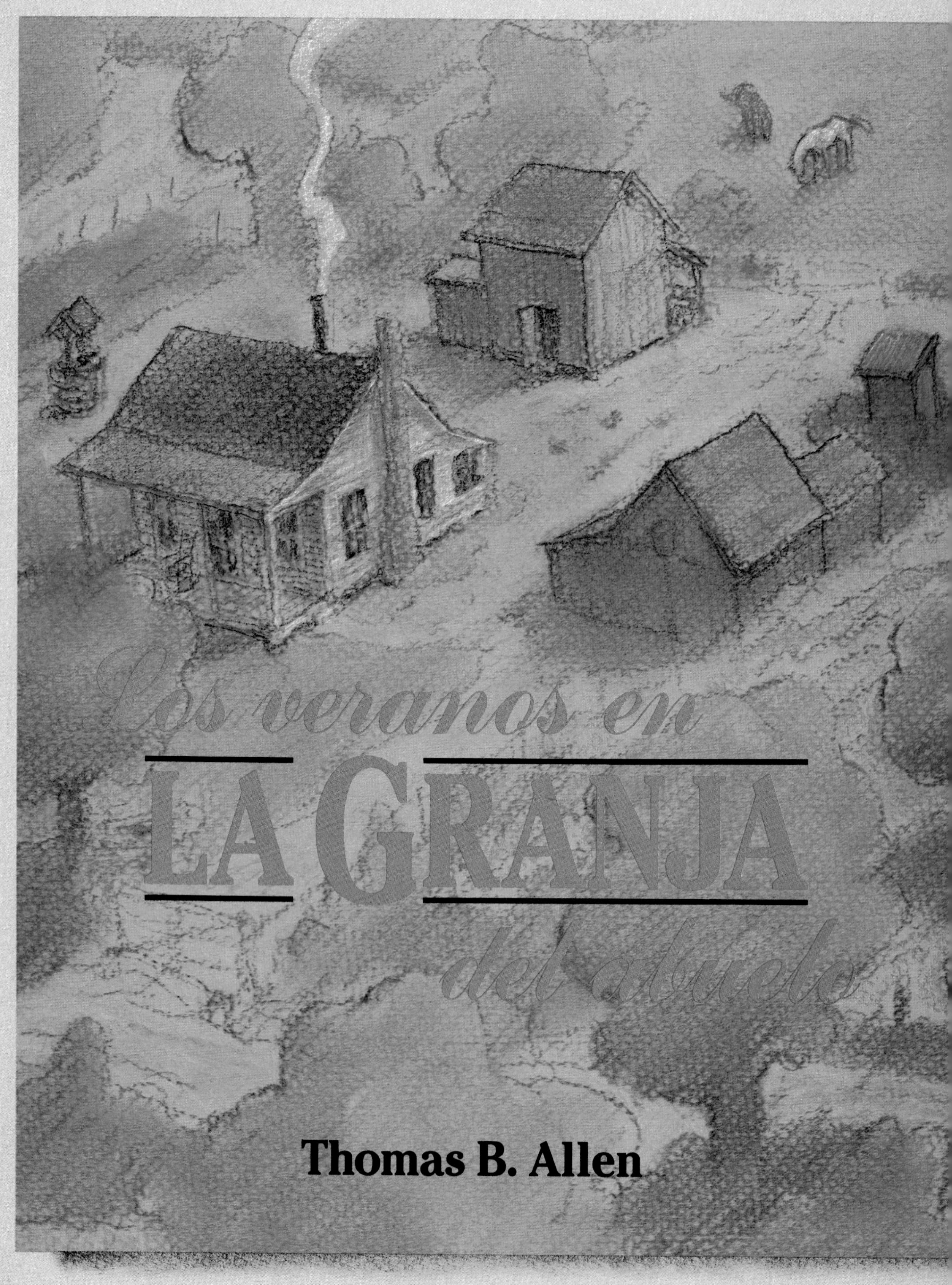

Los veranos en LA GRANJA del abuelo

Thomas B. Allen

Para Louise "Priss" McCallum
y el
Dr. Benjamin Allen Shelton
en memoria de los
abuelos

La granja del abuelo se encontraba al cruzar un puente y bajar por un camino bordeado de árboles. Allí, en las colinas onduladas de Tennessee, pasábamos los veranos mis primos, Priss y Ben Allen, y yo.

El abuelo era el guardafrenos de la línea de ferrocarril L&N. Montaba el vagón de cola de color rojo, al final de un largo tren de carga. El abuelo trabajaba en la ruta que iba de Nashville a Montgomery y pasaba cuatro días seguidos fuera de la casa.

Antes de salir, el abuelo se aseguraba de que los tres primos supiéramos cuáles iban a ser nuestras tareas mientras él estuviera fuera. Bombeábamos agua para los animales y sacábamos las malas hierbas de la huerta. Llevábamos carbón del cobertizo para el horno de la abuela. También cargábamos cubos de agua del pozo para la casa. Una vez el abuelo nos encomendó la tarea de enganchar con el arado a la yegua María, la gran yegua blanca de tiro. La necesitábamos para hacer una zanja contra incendios alrededor del granero. El suelo había quedado tan duro por una sequía que uno de nosotros tuvo que subirse al arado. Así pudimos cavar bien la tierra apisonada.

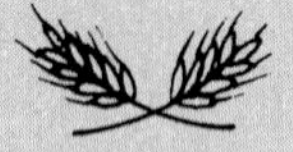

La abuelita trabajaba todo el día horneando y cocinando. Ella lavaba la ropa y cuidaba de las gallinas y del jardín. También se preocupaba de que nosotros los primos estuviésemos comiendo bien, portándonos bien y ocupándonos de nuestros quehaceres.

Después de los quehaceres había tiempo para divertirse. Un día, Ben Allen me desafió a que montara una mula joven. La mula nunca antes había tenido nada sobre el lomo. Cuando la mula sintió que estaba encima, comenzó a saltar violentamente y a correr como loca. Yo grité y vociferé igual que un jinete de rodeo, colgado de sus crines. Priss y Ben Allen se rieron hasta que les salieron las lágrimas. La abuelita, oyendo el alboroto, salió corriendo de la casa y dijo: —Tom Burt, ¡bájate de esa mula en este mismo momento!

La pequeña mula dio un salto enorme y me lanzó de golpe contra una mata espinosa.

El estacionamiento del ferrocarril no quedaba lejos de la granja. Cuando el tren del abuelo venía de regreso a la casa, el maquinista le daba un tirón largo a la soga del silbato, seguido por tres tirones cortos. Así avisaba a los familiares que estaban de regreso. Nosotros sabíamos que faltaba poco para que el abuelo bajara por el camino. Bajaba con la canasta de comida vacía colgada ligeramente del brazo.

Mis primos y yo corríamos a encontrarlo en el portón de la granja. La abuela se paraba en el porche. Sonreía y se

limpiaba las manos en el delantal como si dijera: —Sí, todavía estamos aquí y todo anda bien.

Después de la cena, la abuela y el abuelo se acomodaban en sus mecedoras. Así hablaban y disfrutaban en el porche del suave atardecer de verano. Priss, Ben Allen y yo jugábamos afuera hasta que oscurecía. Lanzábamos una pelota vieja de básquetbol dentro de una canasta de duraznos vacía que estaba clavada sobre la puerta del cobertizo. Esperábamos que la abuelita no contara el cuento de la mula ni ningún otro lío en el que nos hubiéramos metido.

Nos despertábamos cada mañana antes del amanecer con el olor a panecillos horneados y a tocino frito. Después de un gran desayuno, nos presentábamos ante el abuelo para recibir las tareas del día. A mí me gustaba más cuando había que hacer un trabajo grande, como recolectar el heno. Parecía mucho más importante que hacer los quehaceres diarios.

Se segaba el heno, y con el rastrillo se lo ponía en hileras. Nosotros los primos lo apilábamos en montones. El abuelo lo lanzaba al vagón con un solo movimiento de la horquilla. Como este trabajo nos acaloraba, la abuela hacía varios recorridos al campo con un cubo lleno de agua fría del pozo para calmarnos la sed. La abuela siempre tenía algo agradable que decir del buen trabajo que hacíamos.

Pero para Priss, Ben Allen y para mí, la mejor parte llegaba después de atar y amontonar el heno en el galpón. Construíamos un túnel con los atados de heno y lo atravesábamos gateando. Luego saltábamos, una y otra vez, desde arriba hasta la paja que estaba amontonada abajo. Quedábamos cubiertos de polvo de heno por dentro y por fuera. Pero de todos modos lo hacíamos. La diversión valía la pena a pesar de todos los estornudos y picazones.

Luego la abuelita nos daba una barra fresca y olorosa de jabón casero para llevar a la "poza azul" del arroyo Mill. Ahí colgábamos la ropa de la rama de un árbol y nos echábamos a nadar para sacarnos el polvo y la mugre.

El domingo era el único día de la semana que no se trabajaba en la granja del abuelo. Después de ir a la iglesia, los demás primos y tías y tíos llegaban a compartir la comida del domingo. Antes de la comida todos los primos jugábamos al béisbol. También nos turnábamos dándole vueltas a la manija de la máquina de hacer helados. No importaba cuánto jamón y pollo y frijoles y papas y panecillos y tomates habíamos comido. Nunca nos faltaba espacio para el helado casero y el bizcocho de la tía Ruth.

Ya entrada la tarde, los tíos y las tías y todos los otros primos se despedían. Se marchaban, mientras todos les decíamos adiós hasta que los carros se perdían de vista. Sintiéndonos medio llenos de emoción y a la vez medio vacíos, Pris, Ben Allen y yo buscábamos algo que hacer. Algo para ayudarnos a equilibrar esos sentimientos. Nos íbamos por detrás del ahumadero a las canchas de tiro de herraduras, donde los tíos acababan de jugar. Ahí lanzábamos las herraduras oxidadas que en otros tiempos habían pertenecido a la yegua María.

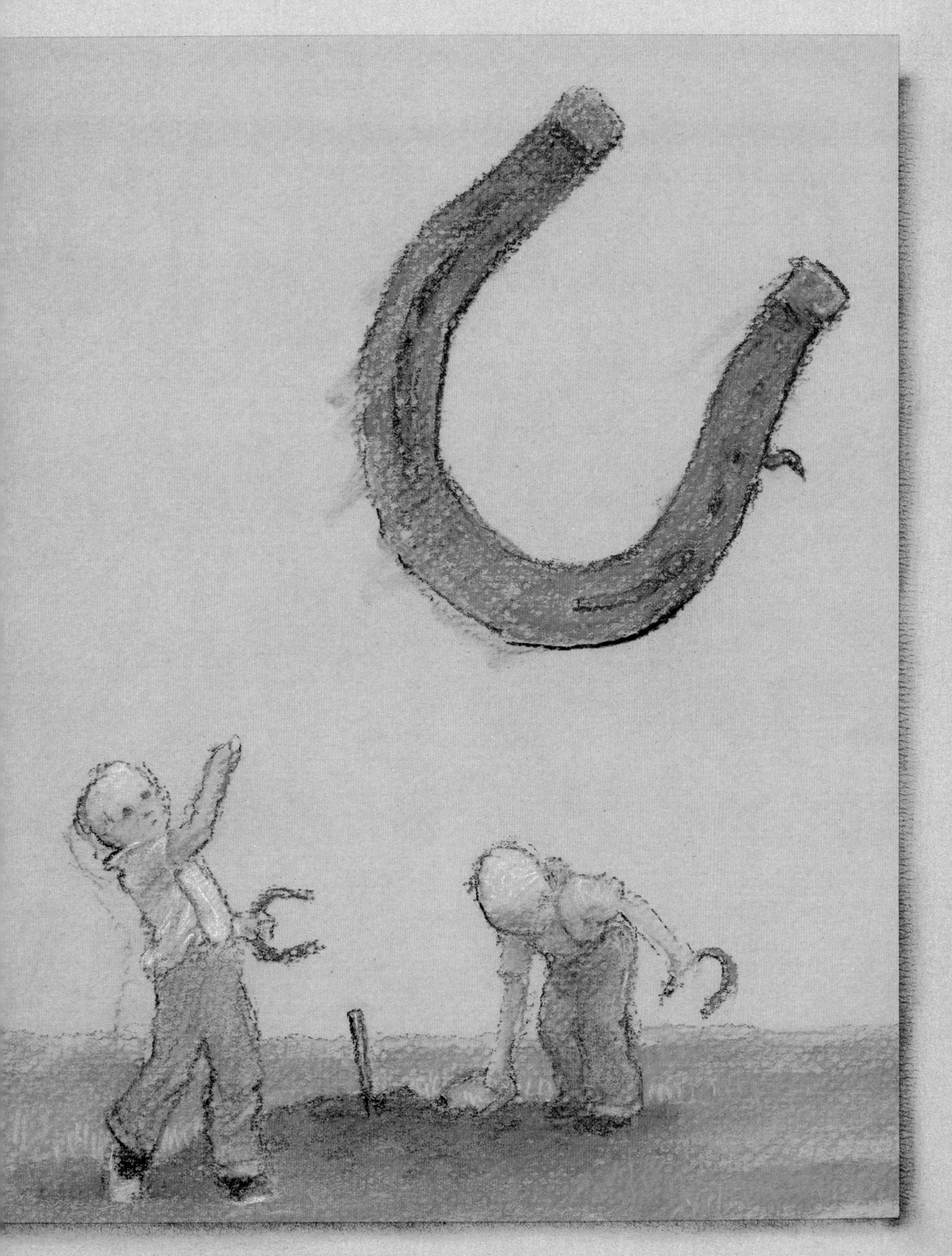

También al abuelo le gustaba ir a la iglesia los domingos por la tarde. Siempre nos invitaba a que lo acompañáramos. Enganchábamos a la yegua María al coche de caballos. Luego con un "¡Arre!" y un leve toque de riendas, salíamos al trote. La iglesia era pequeña y sencilla. Las bancas eran duras y sin respaldo. El abuelo se sentaba tan tieso como una piedra, escuchando el sermón. Mientras nosotros nos movíamos y nos retorcíamos, buscando la forma de acomodarnos. Ya estábamos profundamente dormidos cuando la yegua María nos llevaba de regreso y pasaba trotando por el portal hasta el cobertizo del coche.

Siempre nos parecía que el abuelo acababa de llegar a la casa cuando ya era la hora en que le tocaba irse de nuevo a hacer su recorrido a Montgomery. La abuelita le llenaba la canasta con comida para el viaje. Todo era o cosechado de la huerta o hecho en casa: jamón ahumado, conservas, frutas frescas, panecillos, mantequilla, mermelada de moras, pasteles y bizcochos. La canasta le colgaba pesadamente del brazo mientras nos decía a los primos los trabajos que faltaban por hacerse. También nos recordaba que había que cuidar de la abuelita y de la granja.

620
L&N

Cuando oíamos el silbido de la locomotora, sabíamos que el abuelo se había montado en el vagón de cola. Podíamos oír el tren que arrancaba y echaba a andar, el *tu tuu* del motor a vapor y el *triqui triqui trac* de los rieles. Los rieles que se apresuraban y confundían con el ritmo constante que era la vida del abuelo en las vías del ferrocarril.

El sonido del tren se hacía cada vez más lejano. Luego, se perdía a pesar del esfuerzo que hacíamos para oírlo. El silencio vacío que lo seguía se llenaba lentamente con el lejano *cuai cuai* de las codornices, el zumbido de los insectos y el cacareo de las gallinas. Priss, Ben Allen y yo nos apurábamos a comenzar los quehaceres. Había agua que bombear y animales que alimentar. Era un orgullo cuidar de la granja del abuelo.

Conozcamos a Thomas B. Allen

En el cuento “Los veranos en la granja del abuelo”, Thomas B. Allen nos habla de los maravillosos veranos que pasó con sus primos en la granja de su abuelo en Tennessee. Dice el autor: “La década de 1930 fue una época sencilla, pero también difícil. Yo quise mostrar que, a pesar de la falta de ‘cosas’, los niños se divertían y, también, ayudaban con los quehaceres”.

A los niños que quieren ser escritores Allen les dice: “Escriban acerca de las cosas que conocen, en las que están interesados y... en las que tienen experiencia. Escriban con su propia voz”. Allen siguió su propio consejo al escribir el cuento “Los veranos en la granja del abuelo”.

Varios libros de otros escritores que Allen ha ilustrado han recibido premios. Pero escribir e ilustrar su propio cuento fue una experiencia única.

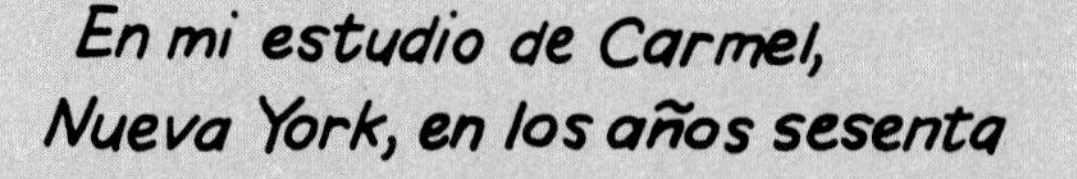

Tía Molly, dos primos, mi hermano Jimmy y yo en la granja, en los años treinta

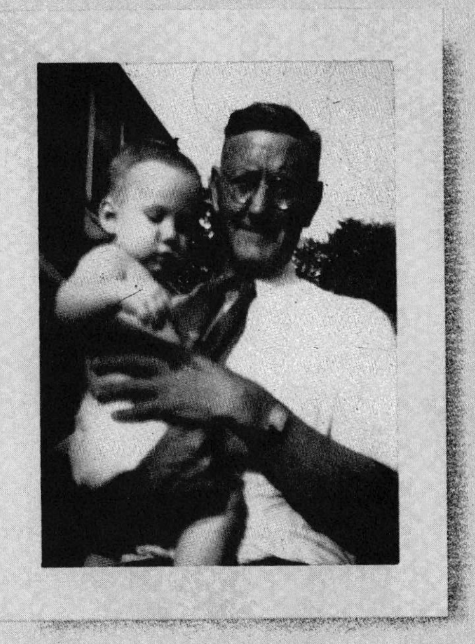

Mi abuelo y yo, en 1929

Mi hermano Jimmy (a la derecha) y yo en la granja, en los años treinta

Las manos del abuelo

¡Qué hermosas son tus manos, abuelito!
¡Qué hermosas son tus manos con arrugas!
Son manos que me cuentan una historia
de sudores y penas y dulzuras.

Han trabajado mucho y han sufrido.
Saben de la alegría y de la angustia.
Supieron dar el pan, plantar el árbol,
cultivar el rosal, dar la ternura.

Algún día lejano —dulce día—
tendré, abuelo, las manos con arrugas.
Y la gente dirá: "¡Qué hermosas manos!
¡Cómo saben de glorias y de luchas!".

Y un nietecito mío, puro, alegre,
de alma empolvada con blancor de luna,
"Abuelo —me dirá—, también mis manos
serán, alguna vez, como las tuyas..."

Gervasio Melgar

INFORMACIÓN ILUSTRADA
¡Guía para todo un mundo de información, con ejemplos relacionados con los temas que estás estudiando!

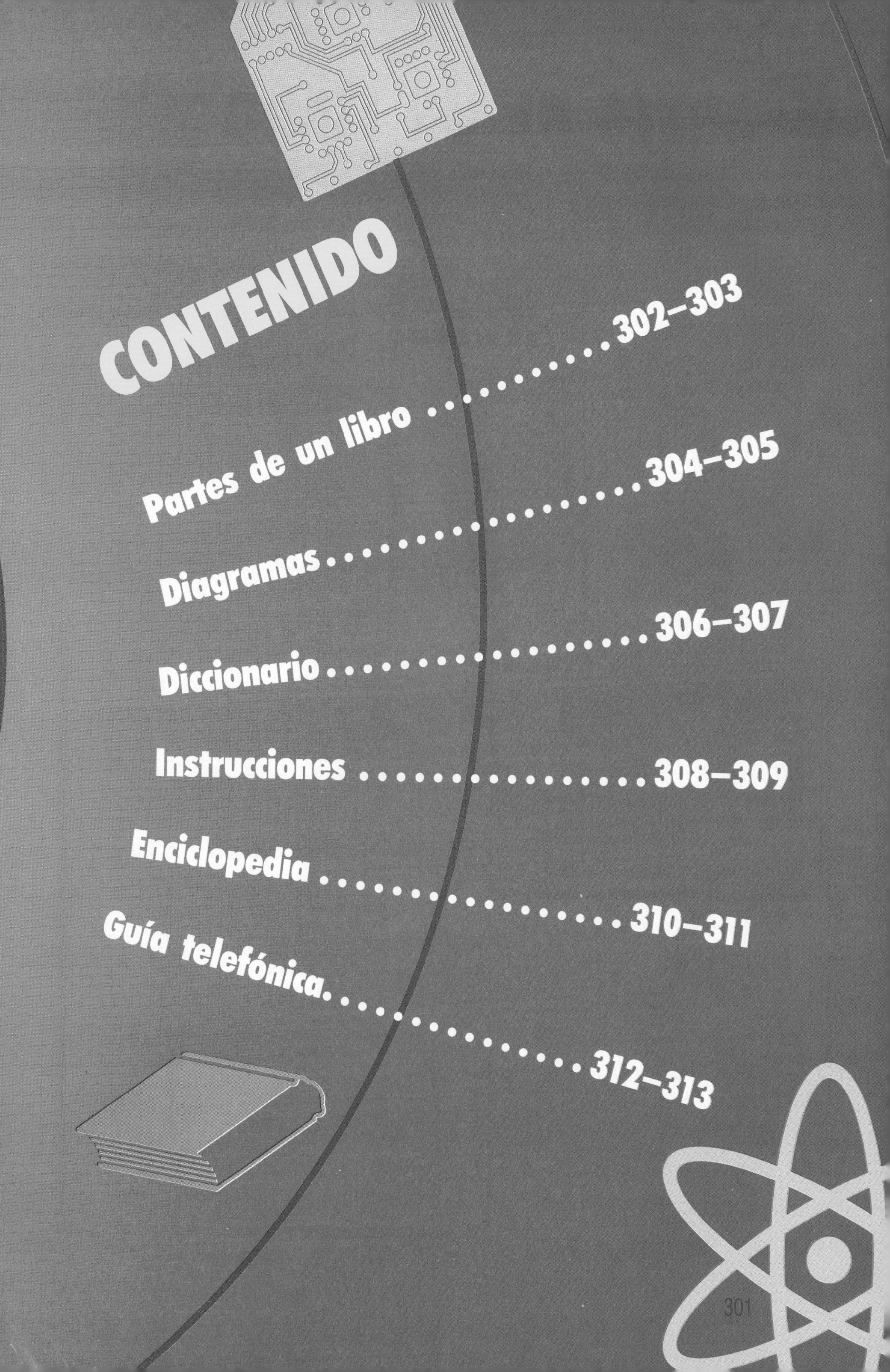

CONTENIDO

PARTES DE UN LIBRO

CIENCIA EN ACCIÓN

EXPERIMENTOS CON AGUA

Contenido

TABLA DE CONTENIDO

Índice

32

PÁGINA DEL ÍNDICE

Diagramas

SEPARACIÓN DE LA LUZ BLANCA EN COLORES AL ATRAVESAR UN PRISMA

Un rayo de luz blanca se descompone en siete colores cuando pasa a través de un prisma:

rojo anaranjado amarillo verde azul índigo violeta

CÓMO FUNCIONA

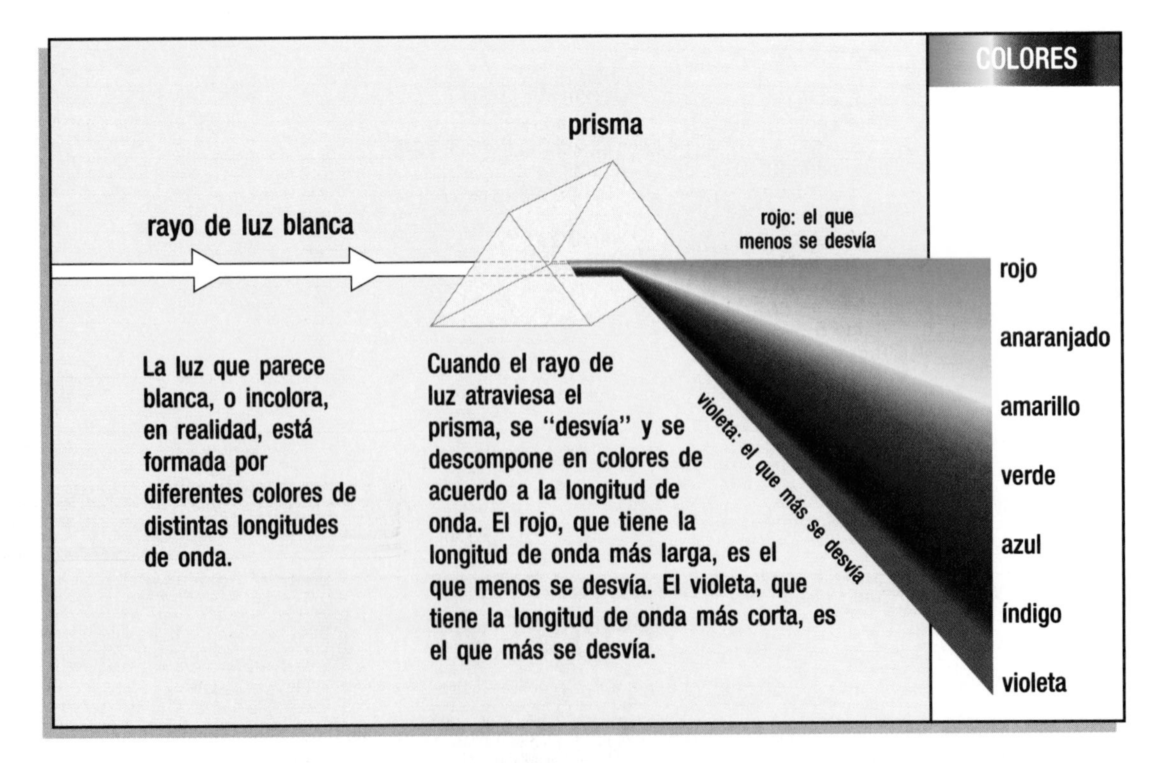

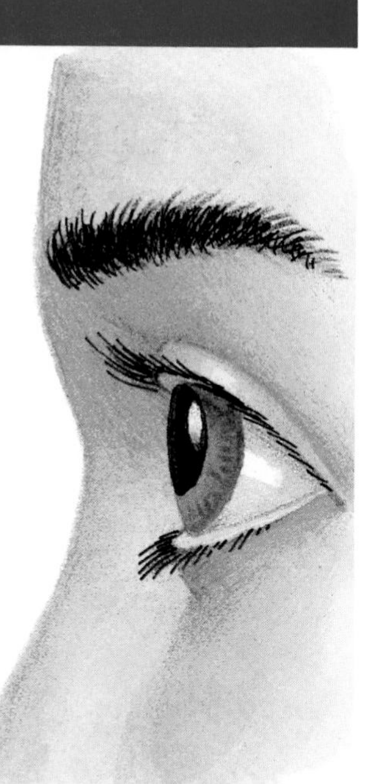

¿CÓMO VEMOS?

EL OJO HUMANO

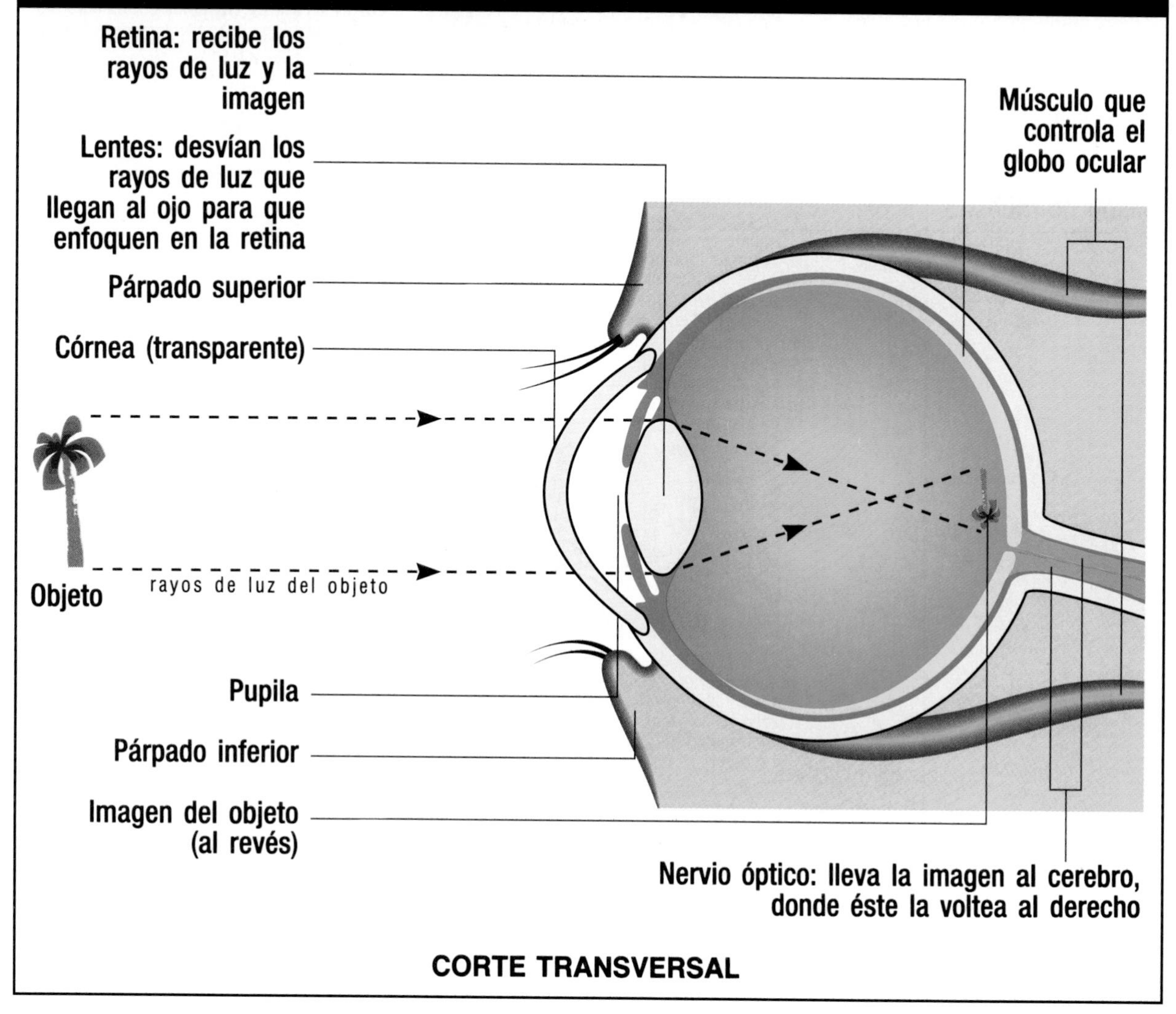

CORTE TRANSVERSAL

Diccionario

artículo

definición

división en sílabas

parte de la oración

oración de muestra

ma.ria.chi *m.* **1.** Música popular mexicana, muy alegre. **2.** Cada uno de los músicos de un conjunto de mariachis.

ma.rim.ba *f.* Instrumento musical compuesto de varias láminas de madera que suenan al golpearlas con unos palillos. *La marimba es muy popular en América Central, Colombia, Cuba, México y Ecuador.*

marimba

ma.rim.be.ro *m.* Músico que toca la marimba.

ma.ri.na *f.* **1.** Costa del mar. **2.** Cuadro que representa el mar. **3.** Conjunto de los barcos de una nación.

ma.ri.ne.ro 1. *adj.* Que se refiere a la marina o a los marineros. *La vida marinera está llena de aventuras.* **2.** *m.* Persona que trabaja en un barco. **3.** *f.* Blusa azul con cuello adornado con trencillas blancas, como las que usan los marineros.

ma.ri.no *adj.* Que se refiere al mar. *La gaviota es un ave marina.*

ma.rio.ne.ta *f.* Muñeco que se mueve con hilos. Las marionetas se hacen, por lo general, de madera, papel maché o tela.

ma.ri.po.sa *f.* Insecto que tiene dos pares de alas, por lo general de colores vistosos.

mariposa

ma.ris.co *m.* Cualquier animal marino invertebrado, por lo general comestible. *La sopa de mariscos tenía camarones, almejas, mejillones y langostas.*

ma.ris.ma *f.* Terreno bajo y pantanoso, a orillas del mar o de ríos; manglar.

ma.rí.ti.mo *adj.* Que se refiere al mar.

mar.lo *m.* En América, la espiga del maíz desgranada. *A los cerdos les dieron marlos para comer.*

mar.mi.ta *f.* Olla de metal, con tapadera muy ajustada.

már.mol *m.* Roca muy dura, que puede ser blanca o de colores. Se usa en construcción, decoración y escultura. *El mármol más famoso para hacer esculturas es el mármol de Carrara, que es muy blanco.*

mar.mo.lis.ta *m. y f.* Persona que se dedica a trabajar el mármol.

mar.mó.re.o *adj.* Que es de mármol o parecido a éste.

mar.mo.ta *f.* Animal pequeño parecido al ratón, de color pardo rojizo. Vive en madrigueras y pasa los inviernos durmiendo.

marmota

Historia de la palabra

La palabra **marmota** viene de la palabra árabe *marbuda* que significa ''acurrucada, acostada''.

ma.ro.me.ro/ra *s.* En el circo, persona que hace ejercicios de gimnasia y saltos muy difíciles; acróbata.

maromero

472

DICCIONARIO

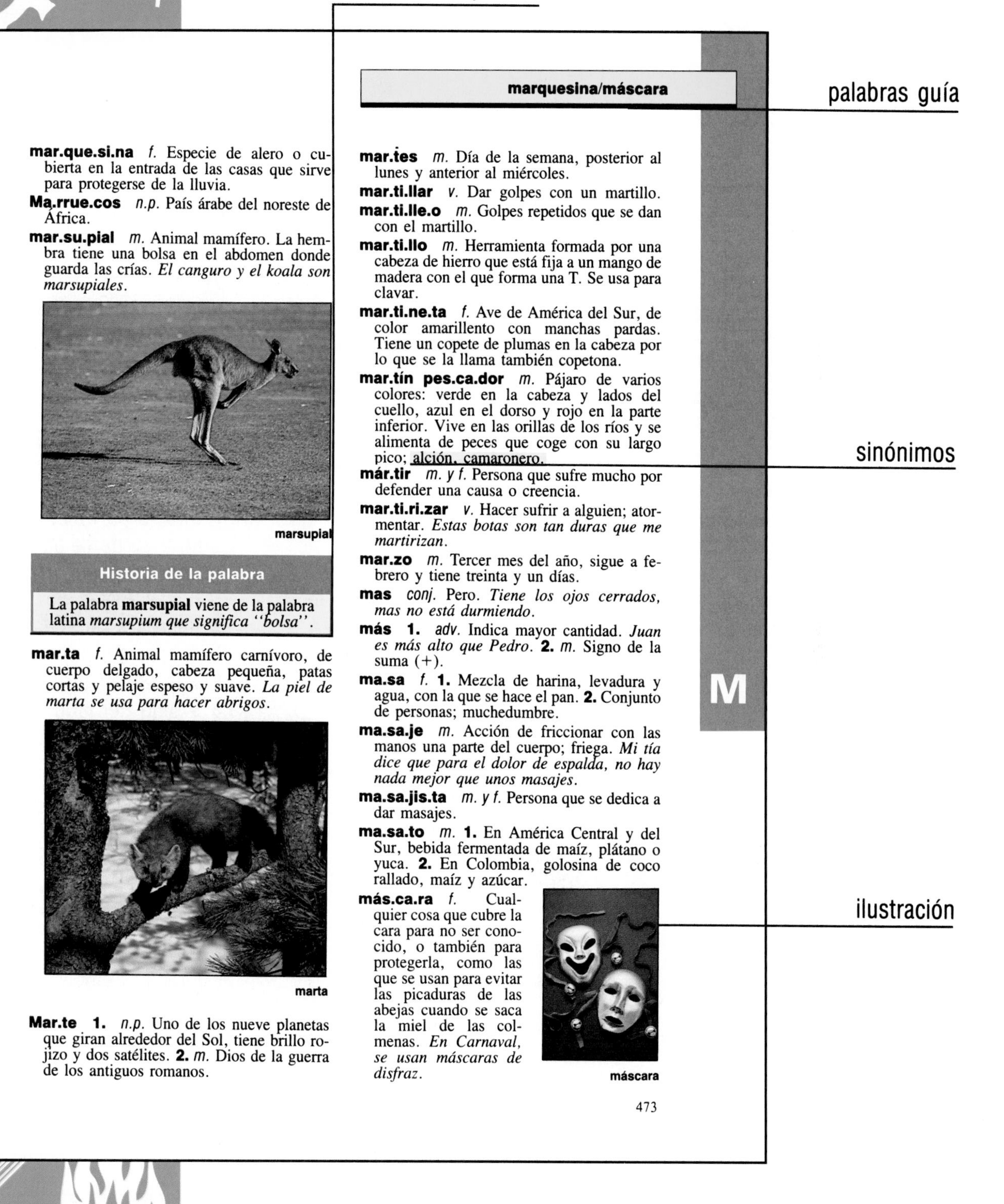

marquesina/máscara

mar.que.si.na *f.* Especie de alero o cubierta en la entrada de las casas que sirve para protegerse de la lluvia.

Ma.rrue.cos *n.p.* País árabe del noreste de África.

mar.su.pial *m.* Animal mamífero. La hembra tiene una bolsa en el abdomen donde guarda las crías. *El canguro y el koala son marsupiales.*

marsupial

Historia de la palabra

La palabra **marsupial** viene de la palabra latina *marsupium que significa "bolsa".*

mar.ta *f.* Animal mamífero carnívoro, de cuerpo delgado, cabeza pequeña, patas cortas y pelaje espeso y suave. *La piel de marta se usa para hacer abrigos.*

marta

Mar.te **1.** *n.p.* Uno de los nueve planetas que giran alrededor del Sol, tiene brillo rojizo y dos satélites. **2.** *m.* Dios de la guerra de los antiguos romanos.

mar.tes *m.* Día de la semana, posterior al lunes y anterior al miércoles.

mar.ti.llar *v.* Dar golpes con un martillo.

mar.ti.lle.o *m.* Golpes repetidos que se dan con el martillo.

mar.ti.llo *m.* Herramienta formada por una cabeza de hierro que está fija a un mango de madera con el que forma una T. Se usa para clavar.

mar.ti.ne.ta *f.* Ave de América del Sur, de color amarillento con manchas pardas. Tiene un copete de plumas en la cabeza por lo que se la llama también copetona.

mar.tín pes.ca.dor *m.* Pájaro de varios colores: verde en la cabeza y lados del cuello, azul en el dorso y rojo en la parte inferior. Vive en las orillas de los ríos y se alimenta de peces que coge con su largo pico; alción, camaronero.

már.tir *m. y f.* Persona que sufre mucho por defender una causa o creencia.

mar.ti.ri.zar *v.* Hacer sufrir a alguien; atormentar. *Estas botas son tan duras que me martirizan.*

mar.zo *m.* Tercer mes del año, sigue a febrero y tiene treinta y un días.

mas *conj.* Pero. *Tiene los ojos cerrados, mas no está durmiendo.*

más **1.** *adv.* Indica mayor cantidad. *Juan es más alto que Pedro.* **2.** *m.* Signo de la suma (+).

ma.sa *f.* **1.** Mezcla de harina, levadura y agua, con la que se hace el pan. **2.** Conjunto de personas; muchedumbre.

ma.sa.je *m.* Acción de friccionar con las manos una parte del cuerpo; friega. *Mi tía dice que para el dolor de espalda, no hay nada mejor que unos masajes.*

ma.sa.jis.ta *m. y f.* Persona que se dedica a dar masajes.

ma.sa.to *m.* **1.** En América Central y del Sur, bebida fermentada de maíz, plátano o yuca. **2.** En Colombia, golosina de coco rallado, maíz y azúcar.

más.ca.ra *f.* Cualquier cosa que cubre la cara para no ser conocido, o también para protegerla, como las que se usan para evitar las picaduras de las abejas cuando se saca la miel de las colmenas. *En Carnaval, se usan máscaras de disfraz.*

máscara

M

473

Instrucciones

CÓMO PASAR A TRAVÉS DE UNA HOJA DE PAPEL

NECESITAS:

una hoja de papel de carta ($8\frac{1}{2} \times 11$ pulgadas), una regla, un lápiz y tijeras

¿QUÉ TIENES QUE HACER?

1

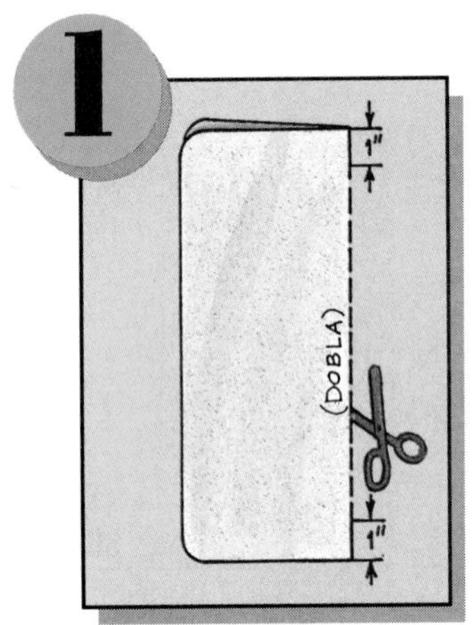

Dobla el papel por el medio. Recorta por el doblez, dejando sin cortar 1 pulgada en cada extremo.

2

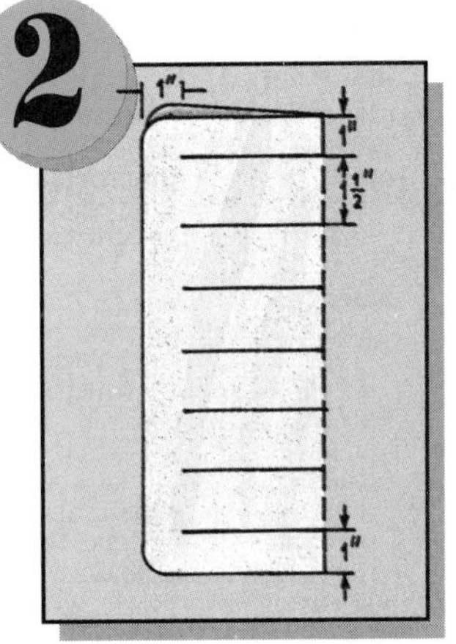

Con el papel doblado y el doblez a la derecha, traza 7 líneas rectas de derecha a izquierda, a lo ancho. Las líneas deben terminar a 1 pulg del lado izquierdo. Empieza a 1 pulg de la parte de arriba del papel. Deja 1 pulg y $\frac{1}{2}$ de separación entre las líneas.

3

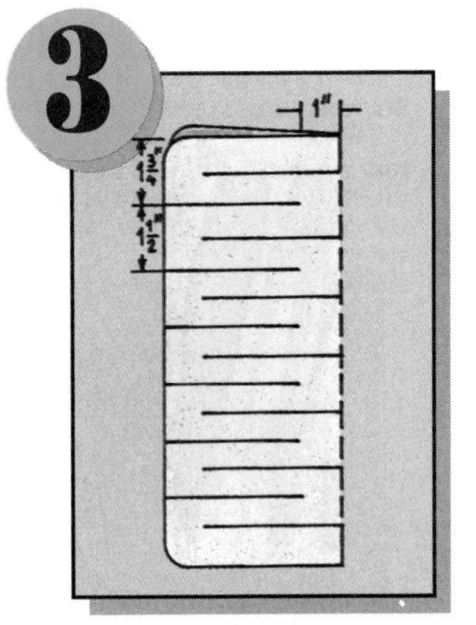

Ahora, a partir de 1 pulg y $\frac{3}{4}$ de la parte de arriba del papel, traza 6 líneas rectas de izquierda a derecha, a lo ancho del papel. Las líneas deben terminar a 1 pulg del lado derecho. Deja 1 pulg y $\frac{1}{2}$ de separación entre las líneas.

4

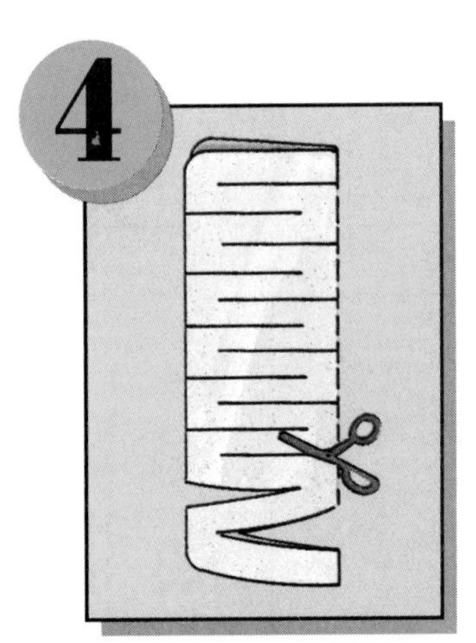

Recorta con cuidado a lo largo de las líneas que trazaste.

5

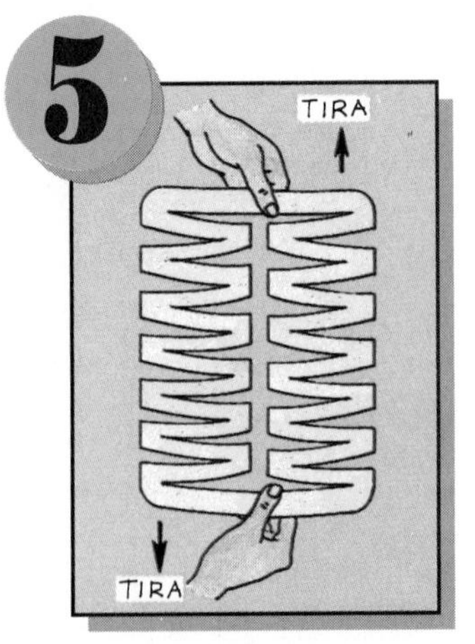

Desdobla el papel y, con suavidad, tira de los extremos.

6

En el papel se abrirá una ventana estrecha por la que vas a poder pasar fácilmente.

INSTRUCCIONES

CÓMO MANDAR UN MENSAJE SECRETO A UN AMIGO

VAS A NECESITAR: UNA CEBOLLA, UN LIMÓN, AZÚCAR, UN CUCHILLO, LA TAPA DE UN FRASCO, UN PALILLO DE DIENTES, UNA HOJA DE PAPEL, UN AMIGO CON UNA LÁMPARA

1. Prepara una pequeña cantidad de tinta "invisible". Corta el limón y la cebolla, y exprime 4 gotas de jugo de cada uno en la tapa del frasco. Agrega un poquito de azúcar y mezcla bien con el palillo hasta que se disuelva todo el azúcar.

2. Usa el palillo de dientes como pluma, mójalo en la tinta y escribe el mensaje en el papel. Hazlo con suavidad, para no dejar marcas en el papel.

3. Deja que la tinta se seque hasta que el papel quede en blanco. Luego dale la hoja de papel "limpia" a tu amigo.

4. Dile a tu amigo que sostenga el papel sobre una bombilla de luz encendida. Con el calor, la tinta se va a volver visible. Tu mensaje va a aparecer en letras de color café, y tu amigo va a poder leerlo.

Enciclopedia

palabra guía

artículo

FERROCARRIL Uno de los primeros países del mundo en gozar de servicio de ferrocarril fue Cuba. Se comenzó a construir en 1834 y se inauguró en 1837, cuando Cuba era aún colonia española. ¡Y la era del ferrocarril había comenzado hacía poco tiempo! En 1804, el ingeniero inglés Richard Trevithick conducía la primera locomotora de vapor, a lo largo de una línea férrea. Y otro inglés, George Stephenson, construía el primer ferrocarril que transportaba pasajeros en trenes impulsados por locomotoras de vapor. En 1829, la locomotora *Rocket* (cohete en inglés), diseñada por Stephenson, viajaba a la entonces increíble velocidad de 56 kilómetros por hora. Y el primer tren de pasajeros arrastrado

por locomotoras de vapor entraba en funcionamiento en 1830, entre Liverpool y Manchester, en Inglaterra. También en 1830, se inauguraba el primer ferrocarril de los Estados Unidos, en Carolina del Sur. De aquí, rápidamente, el ferrocarril se extendió a Francia y a Alemania.

El 10 de mayo de 1869, cuando la era del ferrocarril estaba en todo su apogeo, fue un día muy importante en la historia de los Estados Unidos. Se

conectaron las dos líneas de ferrocarriles del país: Union Pacific (del este) y Central Pacific (del oeste) y, por primera vez, se pudo recorrer el país en tren.

El sistema de transporte de ferrocarril sigue siendo de gran importancia aún hoy en la era del avión y de los cohetes espaciales. Es un medio de transporte de pasajeros y de carga, rápido, barato y cómodo. Está formado por los trenes, las vías de dos rieles de acero por los que circulan los trenes, y los edificios, terrenos y demás instalaciones que se necesitan para que el servicio funcione.

Hay locomotoras de vapor, locomotoras diesel, locomotoras eléctricas que arrastran trenes de carga y trenes de pasajeros.

Locomotoras de vapor

Las locomotoras de vapor tienen ruedas grandes y chimeneas altas. El combustible que se usaba para mover las primeras locomotoras de vapor era la leña. Luego, se usó carbón y más tarde, petróleo. Con el combustible se alimenta el fuego que calienta una caldera de agua y produce vapor. La fuerza de éste pone en movimiento las ruedas de la locomotora. Cuando el combustible se quema, el humo sale por la chimenea. En Estados Unidos, ya casi no quedan locomotoras de vapor. Pero, en otros países de América y del mundo, todavía circulan muchas locomotoras de vapor.

ENCICLOPEDIA

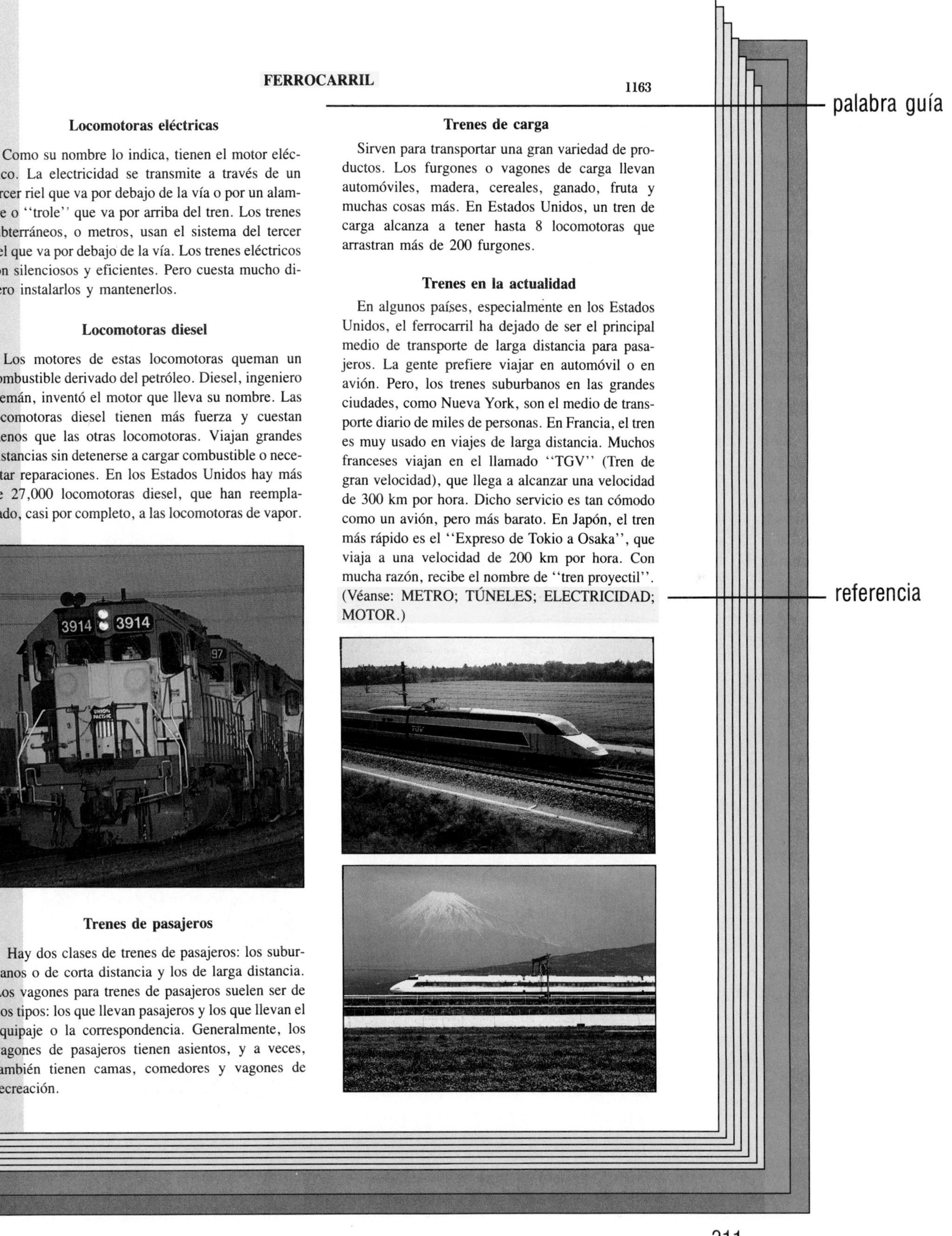

FERROCARRIL 1163

Locomotoras eléctricas

Como su nombre lo indica, tienen el motor eléctrico. La electricidad se transmite a través de un tercer riel que va por debajo de la vía o por un alambre o ''trole'' que va por arriba del tren. Los trenes subterráneos, o metros, usan el sistema del tercer riel que va por debajo de la vía. Los trenes eléctricos son silenciosos y eficientes. Pero cuesta mucho dinero instalarlos y mantenerlos.

Locomotoras diesel

Los motores de estas locomotoras queman un combustible derivado del petróleo. Diesel, ingeniero alemán, inventó el motor que lleva su nombre. Las locomotoras diesel tienen más fuerza y cuestan menos que las otras locomotoras. Viajan grandes distancias sin detenerse a cargar combustible o necesitar reparaciones. En los Estados Unidos hay más de 27,000 locomotoras diesel, que han reemplazado, casi por completo, a las locomotoras de vapor.

Trenes de pasajeros

Hay dos clases de trenes de pasajeros: los suburbanos o de corta distancia y los de larga distancia. Los vagones para trenes de pasajeros suelen ser de dos tipos: los que llevan pasajeros y los que llevan el equipaje o la correspondencia. Generalmente, los vagones de pasajeros tienen asientos, y a veces, también tienen camas, comedores y vagones de recreación.

Trenes de carga

Sirven para transportar una gran variedad de productos. Los furgones o vagones de carga llevan automóviles, madera, cereales, ganado, fruta y muchas cosas más. En Estados Unidos, un tren de carga alcanza a tener hasta 8 locomotoras que arrastran más de 200 furgones.

Trenes en la actualidad

En algunos países, especialmente en los Estados Unidos, el ferrocarril ha dejado de ser el principal medio de transporte de larga distancia para pasajeros. La gente prefiere viajar en automóvil o en avión. Pero, los trenes suburbanos en las grandes ciudades, como Nueva York, son el medio de transporte diario de miles de personas. En Francia, el tren es muy usado en viajes de larga distancia. Muchos franceses viajan en el llamado ''TGV'' (Tren de gran velocidad), que llega a alcanzar una velocidad de 300 km por hora. Dicho servicio es tan cómodo como un avión, pero más barato. En Japón, el tren más rápido es el ''Expreso de Tokio a Osaka'', que viaja a una velocidad de 200 km por hora. Con mucha razón, recibe el nombre de ''tren proyectil''. (Véanse: METRO; TÚNELES; ELECTRICIDAD; MOTOR.)

Sólo para llamadas de emergencia

Incendio y rescate

Policía
Comisario
Patrulla de caminos

Ambulancia

Guardia costera
Búsqueda y rescate

9-1-1

LA LISTA DE LAS AGENCIAS DE EMERGENCIA CONTINÚA EN LA PÁGINA A2

Para llamadas que no son de emergencia, marque por favor el número de 7 dígitos correspondiente.

La lista de los números telefónicos de las agencias federales, de la ciudad, del condado o del estado aparece en las Páginas Blancas.

Anote aquí
el número de:

Doctor ________________

Llamadas de emergencia con el Servicio de telecomunicación para la gente sorda (TDD):

Marque 9-1-1

Oprima el botón del tono hasta que alguien conteste.

En una emergencia la forma más rápida de obtener auxilio es marcar 9-1-1.

¡Atención!

El 9-1-1 y su privacidad
Cuando marque el 9-1-1 por una emergencia, quizá su número y su domicilio aparezcan en una pantalla (inclusive los números que no están en la guía). Esto permite que la agencia lo localice si se corta la llamada.

Si usted no desea que su número telefónico y su dirección aparezcan en la pantalla, marque el número de emergencia de 7 dígitos.

NÚMEROS DE EMERGENCIA

GUÍA TELEFÓNICA

128 PELAYO — POLLARD

Pelayo C. G. 920 Main St 555-4845
Pelayo Susan 62 Wood St 555-9854
Peña, Constructores 9 Day St 555-7590
Peñaloza Lolita 133 Allen Way 555-8359
Peralta Oscar 64 River St 555-9978
Pereira Ana 809 Buena Vista 555-0842
Pérez Studio 12 Beltway 555-4235
Phung Yan Chu 16 Center Ave 555-0971
Picante Restaurant 18 Dysart Ave 555-9810
Pichard Robert 622 Park Hwy 555-9356
PIERO'S PET SHOP
rk Hwy **555-8920**
Pittman Gale 43 Olmo St 555-4315
Pittman Roger MD
1245 Santa Ana Blvd. . . . 555-9863
Piura Bill 51 Horace St 555-8592
Pizarro Jaime 501 Whitney Ave 555-8252
PLANTAS VERDES, JARDINERÍA
1621 Park Hwý **555-2769**
Plante Sylvia 113 River St 555-7460
Plasencia Arlen 75 Wood St 555-3148
Plaza Margarita 113 River St 555-7458
Plumisto LeRoy 441 River St 555-2323
2 Allen Way 692

PÁGINAS BLANCAS

En este glosario puedes encontrar el significado de muchas de las palabras más difíciles del libro. Están en orden alfabético. Las palabras españolas están divididas en sílabas. En la parte superior de cada página verás dos palabras: son la primera y la última de esa página. Te ayudarán a encontrar la palabra que busques.

Los adjetivos aparecen en masculino singular. Los sustantivos aparecen en singular. Los verbos aparecen en infinitivo.

En este glosario se utilizan las siguientes abreviaturas:

adj.	adjetivo
adv.	adverbio
f.	sustantivo femenino
fr.	frase
m.	sustantivo masculino
m. y f.	sustantivo masculino y femenino
n.p.	nombre propio
v.	verbo
s.	sustantivo masculino o femenino

a·cha·co·so *adj.* Que está enfermo. *Mi abuelito está achacoso, pero conserva el buen ánimo.*

a·de·mán *m.* Movimiento de la mano, de la cabeza o de otra parte del cuerpo con el que se manifiesta algo. *Saludó con un ademán de la mano.*

a·dor·mi·lar·se *v.* Dormirse a medias. *Es un sillón tan cómodo que la abuela se adormila cada vez que se sienta.*

a·gra·da·ble *adj.* Que da placer o gusto. *La plática de Ana es muy agradable, siempre tiene algo interesante que contar.*

a·gu·do *adj.* **1.** Que tiene punta; afilado. **2.** Que percibe las cosas con rapidez y con todos sus detalles. *Es un detective agudo; no se dejó engañar por las apariencias.* **3.** Se dice de una sensación intensa y breve. *Tengo un dolor agudo en la espalda.* **4.** Se dice de un sonido alto y penetrante. *El timbre de mi casa es muy agudo.*

a·hu·ma·do *adj.* Puesto al humo para facilitar su conservación o para darle cierto sabor. *Mi abuela prepara pescado y jamón ahumado.*

a·je·drez *m.* Juego que consiste en mover varias piezas en un tablero con casillas blancas y negras. *Las piezas del ajedrez se llaman: peón, torre, alfil, caballo, dama y rey.*

al·bo·ro·to *m.* Ruido y desorden; bullicio, bulla. *Las risas, las pláticas y la música de la fiesta armaron un gran alboroto.*

al·cá·zar *m.* **1.** Residencia de un rey o gobernante de un país; palacio. **2.** Lugar fortificado; fortaleza, ciudadela.

a·len·tar *v.* Dar valor a alguien para ayudarlo a hacer algo, o a soportar una situación difícil; animar.

al·fi·ler *m.* Pieza de metal muy fina en forma de clavo, con punta por un lado y una cabecita por el otro. *Usó un alfiler para sujetar la tela del forro.*

Historia de la palabra

La palabra **alfiler** viene de la palabra árabe *hilel* que significa "astilla aguda empleada para prender unas con otras las prendas de vestir".

ajedrez

al·fom·bra *f.* Tejido de lana, algodón u otro material que se usa para cubrir el suelo de las habitaciones o las escaleras.

al·mi·do·na·do *adj.* Que tiene almidón, una sustancia blanca que se saca de la papa o de los cereales. Se vende en polvo o en pastillas y se usa para endurecer las telas. *Mi abuelita siempre ponía en la mesa un mantel bien almidonado.*

al·qui·ler *m.* Precio que se paga para vivir en una vivienda; arriendo, renta. *Mi tía fue a pagar el alquiler al dueño de la casa.*

a·ma·ne·cer 1. *m.* Momento en que se hace de día, salida del sol; alba, aurora, alborada. **2.** *v.* Salir el sol; clarear.

am·bien·te *m.* Lo que rodea a las personas y cosas. *Corría viento y había mucho polvo en el ambiente.*

an·gus·tia *f.* Sentimiento triste; pena.

an·te·na *f.* **1.** Cada una de las dos partes finas y alargadas que los insectos y algunos animales de mar tienen en la cabeza. *Las hormigas tienen dos antenas en la cabeza.* **2.** Aparato metálico que sirve para difundir o recibir las emisiones de radio o televisión.

a·pa·le·a·do *adj.* Que le dieron muchos golpes con un palo o algo semejante; maltratado, golpeado.

a·pe·ri·ti·vo *m.* Algo que se come o se toma antes de comer para abrir el apetito. *Sirvieron bocaditos de queso para el aperitivo.*

a·pi·so·na·do *adj.* Que fue apretado por una persona o una máquina. *El camino fue apisonado antes de la estación de lluvia.*

a·pro·bar *v.* **1.** Dar por bueno. *Con el voto se puede aprobar un gobierno.* **2.** Pasar con éxito una prueba. *Para aprobar el examen de matemáticas hay que estudiar mucho.*

A·ra·bia *n.p.* Región del oeste de Asia. Los países de esta zona son: Arabia Saudita, Kuwait, Emiratos Árabes Unidos, Yemen del Norte, Yemen del Sur, Omán y Katar.

a·ra·do *m.* Herramienta movida por animales o tractores que se emplea para hacer surcos en la tierra.

arbusto

ar·bus·to *m.* Planta sin tronco cuyas ramas salen desde la tierra; mata. *El rosal es un arbusto con flores olorosas y de colores variados.*

ar·mo·nio·sa·men·te *adv.* De manera agradable. *Los colores de la manta están combinados armoniosamente.*

a·ro·ma *m.* Olor muy agradable; perfume.

ar·te *m.* **1.** Conjunto de obras artísticas de una época, de un grupo o de un país. *En la muestra de arte infantil participaron 60 niños mexicanos.* **2.** Conjunto de reglas de una profesión. *Leí un libro sobre el arte de cocinar.*

ar·te·sa·no/na *s.* Persona que hace un oficio o trabajo manual. *El carpintero, el alfarero y el zapatero son artesanos.*

ar·tes plás·ti·cas *f.* Conjunto de actividades que crean formas bellas, como la escultura, la pintura y la arquitectura.

ar·tis·ta *m. y f.* Persona que se dedica a dibujar, pintar, cantar, a hacer cine, teatro, música, etc.

ar·tís·ti·co *adj.* Que es bonito o está hecho con destreza.

as·tu·to *adj.* Que es hábil para engañar. *El zorro es un animal astuto.*

a·ta·que *m.* Acción de lanzarse contra alguien o algo para causar daño. *El perro ladró en señal de ataque.*

a·ta·re·a·do *adj.* Que tiene trabajo para hacer; ocupado. *Está muy atareado con el trabajo de la granja.*

a·tre·ver·se *v.* Tener el valor de decir o hacer algo; arriesgarse. *Es difícil atreverse a montar un caballo por primera vez.*

a·ves·truz *m.* Ave más grande que se conoce, llega a medir dos metros. Habita en África y en Arabia. No puede volar pero corre muy rápido.

a·yu·da de cá·ma·ra *m.* Criado. *El ayuda de cámara trajo la ropa del rey.*

ba·lle·na *f.* Animal mamífero que vive en el mar. *La ballena es el animal más grande del mundo.*

ba·lle·na·to *m.* Cría de la ballena.

ballena y ballenato

ban·que·te *m.* Gran comida. *Hicieron un banquete para celebrar su aniversario de bodas.*

ba·úl *m.* Caja grande que se usa para guardar cosas; cofre, arca. *En el baúl de mi abuela encontré un viejo reloj.*

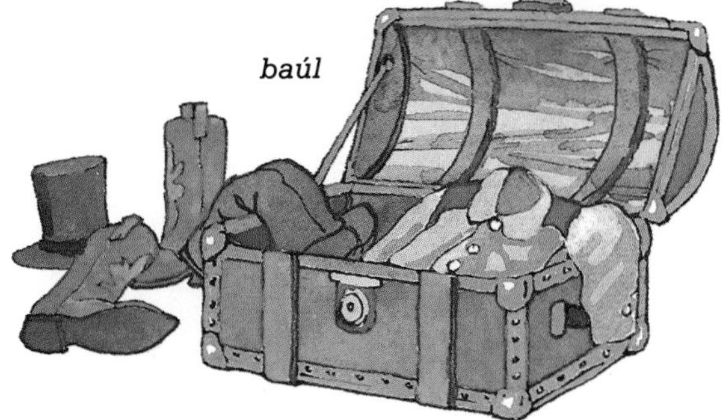
baúl

be·del *m. y f.* **1.** En las escuelas, la persona encargada de mantener el orden fuera de las clases. **2.** En Venezuela, persona encargada de la limpieza de los edificios.

bo·ca·di·to *m.* Panecillo con algún alimento; bocadillo, canapé. *En la fiesta había bocaditos de jamón.*

bom·be·ar *v.* Enviar agua de un lugar a otro con un aparato especial llamado bomba. *Luis debe bombear el agua desde el río hasta la huerta.*

bor·da·do *adj.* Que tiene una labor hecha con aguja y diversas clases de hilo. *El mantel bordado es blanco con flores de hilo rojo.*

bor·de·a·do *adj.* Que tiene algo en la orilla o borde. *El camino está bordeado de árboles.*

bra·za·le·te *m.* Joya que se usa en la muñeca; pulsera.

bri·llan·te *adj.* **1.** Que tiene o refleja luz. **2.** Que es muy inteligente.

bro·ca·do *m.* Tela de seda con dibujos que parecen bordados con hilos de oro o plata.

bul·to *m.* **1.** Cuerpo que por la distancia o por la falta de luz no se puede ver bien. **2.** Maleta, maletín, o mochila, que se usa para llevar ropa, libros o cualquier otra cosa.

bur·bu·ja *f.* Globo de aire que se forma en los líquidos. *En el agua con jabón se forman burbujas.*

bu·zo *m. y f.* Persona que trabaja sumergida en el agua, por lo general usa un traje especial y una escafandra.

buzo

ca·biz·ba·jo *adj.* Con la cabeza baja por preocupación o vergüenza. *Cuando se dio cuenta de su error, se quedó cabizbajo.*

cal·za *f.* **1.** Media. **2.** Calzado que cubría la pierna y, a veces, también el muslo.

ca·na·pé *m.* Panecillo sobre el que se extiende o coloca otra comida; bocadillo, bocadito. *Mi mamá sabe preparar deliciosos canapés de jamón y queso.*

can·cha *f.* Lugar destinado para juegos, riñas de gallo y otras diversiones.

Historia de la palabra
La palabra **cancha** viene de la palabra quechua *cancha* que significa "recinto, cercado".

ca·ne·rí·a *f.* Fábrica donde se envasa alimentos. *En mi pueblo hay una canería de pescado.*

cá·ña·mo *m.* Planta de cuyas fibras se fabrican tejidos muy sólidos y cuerdas. *Con la fibra de cáñamo se hacen bolsas.*

ca·pa·ra·zón *m.* Cubierta dura del cuerpo de animales como la tortuga y el cangrejo; concha, carapacho.

ca·ra·col *m.* Animalito blando, con concha, que se mueve con gran lentitud.

ca·rro·za *f.* Coche grande y muy adornado, tirado por caballos. Tiene cuatro ruedas y una caja con asientos para dos o más personas.

cas·ca·da *f.* Caída de agua; catarata.

ca·se·ro *adj.* Que está hecho en casa. *Mi madre hace pan casero.*

ce·ga·dor *adj.* Que no deja ver, que ciega o deslumbra.

cen·te·llan·te *adj.* Que brilla como las estrellas, con rayos de luz breves y cambiantes; centelleante.

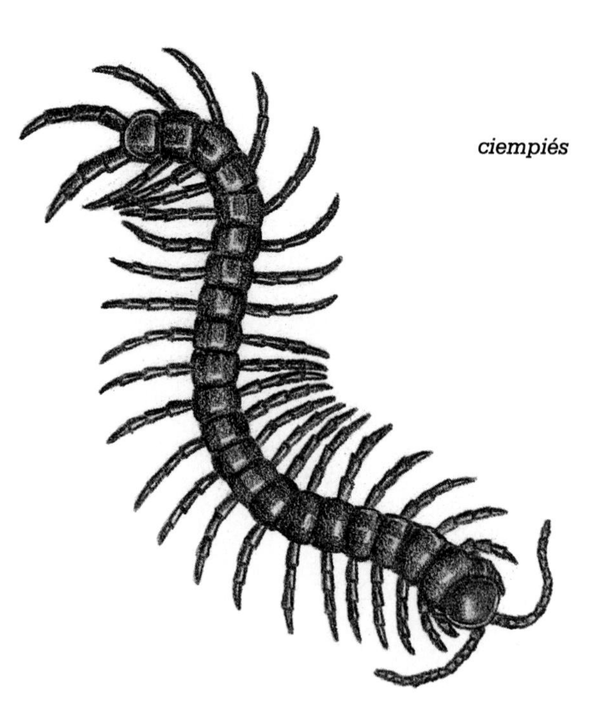

ciempiés

ciem·piés *m.* Animal con el cuerpo formado por anillos. En cada anillo tiene uno o dos pares de patas.

cien·cia *f.* Conjunto de conocimientos que se adquieren con el estudio, la investigación y la reflexión. *La biología es la ciencia que estudia los seres vivos.*

co·ber·ti·zo *m.* Sitio con techo, generalmente sin paredes. *En el cobertizo de la granja se guardaba el carbón y la leña.*

co·bi·jar *v.* **1.** Cubrir con una manta o cobija. **2.** Dar albergue o posada.

co·che *m.* **1.** Carruaje con asiento y cuatro ruedas, tirado por caballos; coche de caballos. **2.** Automóvil, carro.

co·dor·niz *f.* Ave pequeña de color pardo. Vive en las praderas y en los sembrados.

co·jín *m.* Almohada cuadrada o rectangular. *Sobre el sillón hay un cojín de pana.*

co·lec·ción *f.* Conjunto de varias cosas de una misma clase. *Tiene una colección de tarjetas postales.*

co·lec·cio·nis·ta *m. y f.* Persona que junta cosas de una misma clase. *Juan es un coleccionista de estampillas.*

con·cha *f.* **1.** Cubierta dura que sirve de protección a algunos animales; carapacho, caparazón. **2.** Material sacado de la concha de la tortuga llamada "carey" que se usa para hacer objetos. *Tenía un peine de concha.*

con·des·cen·den·cia *f.* Complacencia, tolerancia. *Actuamos con condescendencia cuando aceptamos hacer o decir algo para complacer a otra persona.*

con·se·je·ro/ra *s.* Persona que le dice a otra lo que puede o debe hacer. *Los reyes tenían siempre un consejero que les ayudaba a tomar las decisiones más importantes.*

cons·tan·te *adj.* Que no cambia. *El tic-tac del reloj es constante.*

con·te·ner *v.* Retener, moderar. *Estaba tan triste que no pudo contener las lágrimas.*

co·ral *m.* Animal que vive agrupado en colonias, en los mares de aguas cálidas. Produce una sustancia de color rojo, rosado o negro que se usa para hacer collares y otros adornos.

co·ro *m.* Conjunto de personas reunidas para cantar. // **a coro** *fr.* Dicho por varias personas al mismo tiempo. *"¡Buenos días!", dijeron los niños a coro.*

cri-crí *m.* Sonido que hace el grillo al frotar las alas.

crin *f.* Conjunto de pelos largos que tienen sobre la parte superior del cuello animales como el caballo.

cris·tal *m.* **1.** Vidrio, por lo general incoloro y transparente. **2.** Cuerpo que se forma cuando ciertas sustancias se transforman en sólidos. Tienen los lados planos y forma regular. *La sal, el azúcar y los copos de nieve son cristales.*

crí·ti·co *adj.* **1.** Que es muy importante, que va a decidir el éxito o el fracaso de algo. *Es un examen crítico para obtener el título de bachiller.* **2.** Se le dice a una persona antipática. *Le llaman el crítico Pedro porque todo le parece mal.* **3.** *m. y f.* Persona que juzga o da su opinión sobre una obra de arte o literatura. *Varios críticos de cine dijeron que "La bella y la bestia" es una película muy buena.*

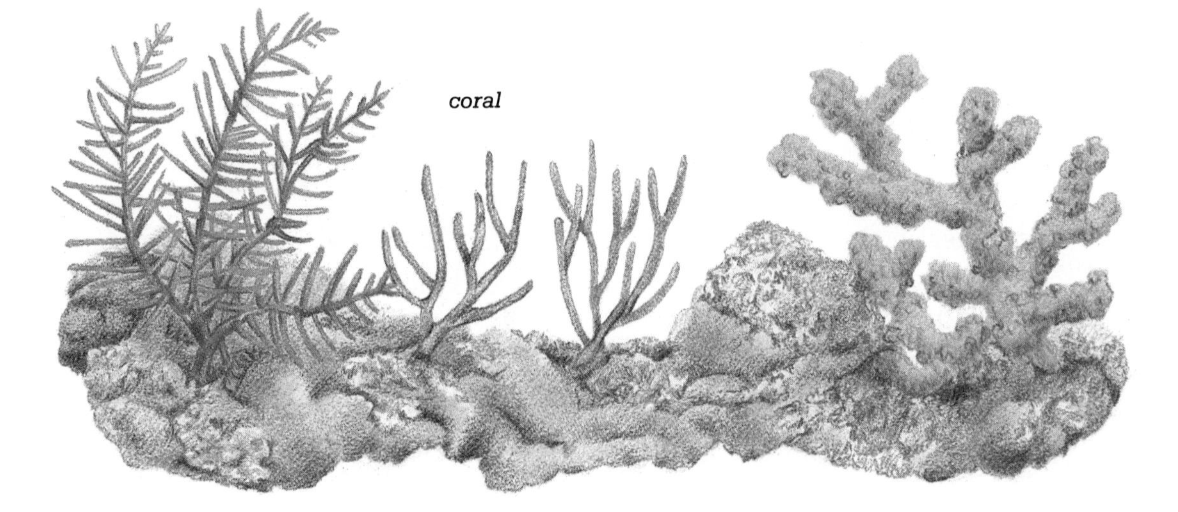
coral

cu·bo *m.* Recipiente de metal, madera o plástico y forma de cilindro. *Los cubos de basura son muy importantes para mantener limpio un lugar.*

cue·va *f.* **1.** Caverna, por lo general en la ladera de una montaña. **2.** Sótano, bodega.

cueva (definición 1)

cha·mus·ca·do *adj.* Que está un poco quemado.

cha·po·te·ar *v.* Salpicar el agua con los pies y las manos, haciendo ruido.

chi·le·no *adj.* Que es de Chile, país de América del Sur. *El ají chileno es muy sabroso.*

chim·pan·cé *m.* Mono robusto de pelaje oscuro y brazos muy largos. Vive en grupos en las selvas de África.

Chi·na *n.p.* País del este de Asia donde viven más personas que en cualquier otro país del mundo.

de·cem·bri·no *adj.* Que se refiere al mes de diciembre.

de·sa·fiar *v.* Provocar, retar. *El héroe de la película desafió a los bandidos y, como siempre, les ganó.*

des·li·zar·se *v.* Pasar sobre algo tocándolo suavemente; resbalarse. *El trineo se desliza sobre el hielo o la nieve.*

des·po·bla·do *adj.* Sin gente. *El desierto está despoblado.*

des·ván *m.* Parte alta de algunas casas que se encuentra debajo del tejado.

dis·co *m.* Objeto plano y circular.

di·se·ño *m.* Dibujo de un edificio o de una figura.

dis·fra·za·do *adj.* Vestido con un traje especial, por lo general con máscara o antifaz. *En carnaval, se ven muchos niños y niñas disfrazados de piratas, monstruos, hadas y brujas.*

di·si·par *v.* Desvanecer, desaparecer.

dis·tra·í·do *adj.* Se dice de la persona que, por falta de atención, no se da cuenta de lo que ella misma dice y hace, o de lo que sucede a su alrededor. *Estaba tan distraído que pisó un charco de agua y se mojó los pies.*

di·vi·sar *v.* Ver una cosa a lo lejos. *Miré y miré, pero no pude divisar el barco.*

dra·gón *m.* Animal imaginario que parece un lagarto gigante, con alas y garras.

dragón

em·pi·na·do *adj.* Muy alto e inclinado. *Es difícil trepar un cerro empinado.*

en·tre·vis·tar *v.* Visitar a una persona para hacerle preguntas sobre algo y después informar al público de sus respuestas. *El reportero entrevistó al deportista que ganó la carrera.*

e·qui·li·brar *v.* Hacer que una cosa no supere a otra; compensar.

Historia de la palabra

La palabra **equilibrar** viene de la palabra latina *equilibrare* que significa "igualar en peso" o "igualar en la balanza". La balanza romana tiene dos platos. En uno se pone lo que se quiere pesar y en el otro las pesas. Se logra equilibrar la balanza cuando los dos platos tienen el mismo peso.

e·ri·zar *v.* Levantar y poner tiesas las púas, o los pelos. *El puerco espín puede erizar sus púas.*

es·ce·na *f.* Lugar del teatro donde los actores representan las obras; escenario.

es·cul·tu·ra *f.* Arte de modelar, tallar y esculpir en barro, madera o mármol.

es·cu·rrir·se *v.* Resbalarse, deslizarse. *Es fácil escurrirse sobre el hielo.*

es·tan·dar·te *m.* Pedazo de tela generalmente cuadrada que se sujeta a una vara; bandera, banderola. *El estandarte es rojo y lleva un escudo bordado.*

estandarte

es·ti·lo *m.* **1.** Costumbre, uso, moda. **2.** Manera, modo de hacer algo. *En un cuadro de estilo realista, el pintor trata de representar la realidad como es.*

es·tra·do *m.* Sitio de honor, algo elevado, en un salón de actos; tarima. *Sobre el estrado se pone el trono de rey o la mesa presidencial en una ceremonia.*

es·tru·jar *v.* Apretar una cosa; exprimir. *Después de lavar, hay que estrujar la ropa.*

ex·hi·bi·ción *f.* Grupo de cosas que se muestra; exposición. *Fuimos a una exhibición de monedas antiguas.*

ex·plo·ra·dor *adj.* Que viaja para ver lugares desconocidos. *La hormiga exploradora va primera en la fila, guiando a las demás hormigas hacia un sitio nuevo.*

ex·qui·si·to *adj.* De muy buena calidad o gusto. *Berta preparó un pastel exquisito.*

ex·tra·ño *adj.* **1.** Que es poco común; raro. *Tiene un carácter muy extraño.* **2.** De una familia, grupo o país diferente; ajeno. *Llegó a un país extraño.*

fas·ci·na·do *adj.* Que está muy impresionado por algo; deslumbrado. *Era la primera vez que veía el mar y se quedó fascinado por el color del agua.*

fi·bra *f.* Hilo alargado y flexible; hebra. *La fibra de algodón se usa para hacer telas y tejidos.*

fin·gir *v.* Presentar como real o verdadero algo que no lo es; simular, aparentar.

for·ta·le·za *f.* **1.** Firmeza, fuerza, vigor. *Los ejercicios físicos aumentan la fortaleza de los músculos.* **2.** Fuerte, castillo. *Cien soldados cuidan la fortaleza.*

for·tu·na *f.* **1.** Propiedades y dinero. **2.** Destino, azar. **3.** Buena suerte, dicha.

frá·gil *adj.* Que se puede romper con facilidad; delicado. *Esa copa de cristal es muy frágil.*

frag·men·to *m.* **1.** Pedazo, trozo. *El vaso se rompió en varios fragmentos.* **2.** Parte. *Leí un fragmento del libro.*

fre·ga·de·ro *m.* Lugar en el que se lavan los platos, vasos, etc.; pila de fregar.

ga·la·xia *f.* Conjunto de millones de estrellas; constelación. En el universo hay numerosas galaxias. *La Vía Láctea es la galaxia donde está nuestro planeta.*

galaxia

Historia de la palabra

La palabra **galaxia** viene de la palabra griega *galaxías* que significa "parecido a la leche"; pues el conjunto de estrellas parece un sendero de leche en el cielo.

gal·pón *m.* Lugar con techo, a veces sin paredes; cobertizo. *La cosecha se guarda en el galpón para protegerla de la lluvia.*

ga·ra·ba·to *m.* Escritura o dibujo que está hecho de manera descuidada.

ginc·go *m.* Árbol grande originario de la China; gingko. Tiene hojas en forma de abanico. Se planta para dar sombra o como adorno.

glo·ria *f.* Fama, honor, brillo. *El atleta tuvo la gloria de ganar el maratón.*

gra·ne·ro *m.* Lugar donde se guarda cualquier tipo de grano, como el trigo o el maíz.

gran·ja *f.* Casa en el campo donde se crían animales y se cultiva la tierra. *En la granja había cerdos, vacas, gallinas y patos.*

grie·ta *f.* Abertura, hendidura. *El techo tenía una grieta por la que pasaba el agua de lluvia.*

gri·llo *m.* Insecto de color negro. En verano hace un sonido agudo y monótono con las alas. *Por las noches, el canto de los grillos no me dejaba dormir.*

guar·da·fre·nos *m.* Persona que ayuda al conductor de un tren. En el pasado, era el encargado de manejar los frenos de un tren.

ha·bi·tual *adj.* Que se hace siempre de la misma manera o por costumbre. *Todas las tardes, pase lo que pase, va a dar su paseo habitual.*

he·no *m.* Planta que crece en las praderas y sirve para alimentar al ganado. *Los caballos comieron varios atados de heno.*

he·ral·do *m.* Persona que anunciaba los sucesos o las ceremonias. *El heraldo tocó el clarín, y anunció la llegada del rey.*

he·rra·du·ra *f.* Semicírculo de hierro que se pone en las patas de los caballos, para que no se dañen al andar.

hor·qui·lla *f.* **1.** Vara larga terminada en forma de V. *La horquilla se usa para trabajar en el campo.* **2.** Pinza pequeña de alambre. *Mi tía se pone una horquilla en el pelo.*

hos·pi·tal *m.* Lugar donde se cura y se cuida a las personas enfermas o heridas.

Historia de la palabra
La palabra **hospital** viene de la palabra latina *hospitale* que significaba "lugar donde los viajeros pueden encontrar hospedaje y comida".

i·lu·sión óp·ti·ca *f.* Visión irreal, que no es cierta. *A veces, en el desierto la gente cree ver árboles o agua, pero no es real, se trata de una ilusión óptica.*

i·nau·gu·ra·ción *f.* Acción o ceremonia de comenzar una actividad. *Los atletas desfilaron en la inauguración del campeonato.*

in·no·va·dor *adj.* Que introduce cambios. *Es un artista innovador.*

in·quie·to *adj.* Que no está tranquilo; agitado, impaciente, preocupado. *Esperaba inquieto el resultado del examen.*

in·sec·to *m.* Animal con el cuerpo dividido en cabeza, tórax y abdomen. Tiene un par de antenas y tres pares de patas. La mayor parte de los insectos tiene alas. *La hormiga es un insecto que vive en sociedad.*

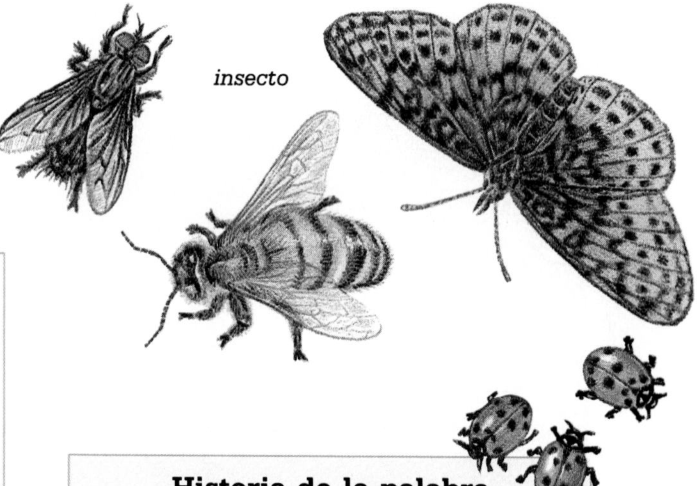
insecto

Historia de la palabra
La palabra **insecto** viene de la palabra latina *insectus* que significa "que tiene cortes"; porque el cuerpo de los insectos está dividido en tres partes o secciones.

in·ter·cam·biar *v.* Cambiar mutuamente; canjear. *Los niños quieren intercambiar libros de cuentos.*

in·te·rrum·pir *v.* Detener, impedir, cortar. *No hay que interrumpir cuando alguien está hablando.*

i·nun·da·do *adj.* Que está cubierto por el agua o por otro líquido; anegado. *Las fuertes lluvias dejaron varias casas inundadas.*

in·ven·tar *v.* **1.** Hallar o descubrir una cosa nueva, usando la imaginación. **2.** Decir mentiras.

ja·de·ar *v.* Respirar con dificultad, haciendo mucho esfuerzo. *Se cansó y comenzó a jadear.*

ji·ne·te *m. y f.* Persona que monta un caballo.

jo·ya *f.* Objeto para adornarse, en general de metal y piedras valiosas; alhaja.

la·de·ra *f.* Pendiente de la montaña; falda. *Bajó rodando por la ladera de la montaña.*

la·gar·ti·ja *f.* Lagarto pequeño, de color verde o pardo por arriba y blanco por debajo. Se mueve muy de prisa.

lagartija

le·gua *f.* Medida de longitud equivalente a cinco kilómetros y medio.

le·yen·da *f* Relato donde se mezcla la fantasía y la realidad. *Las aventuras de Robin Hood y el rey Arturo son leyendas.*

lo·co·mo·to·ra *f.* Máquina que, montada sobre ruedas y movida por vapor o electricidad, arrastra los vagones de un tren.

locomotora

Historia de la palabra

La palabra **locomotora** viene de dos palabras latinas, *locus* que significa "lugar" y *motor* que significa "el que mueve". Significa "mover de un lugar o otro".

lo·ro *m.* Pájaro de color verde que puede repetir las palabras que oye; papagayo.

lu·ciér·na·ga *f.* Insecto que por la noche emite luz; cocuyo, lucerna, cucubano.

lu·pa *f.* Lente de cristal que aumenta el tamaño de los objetos observados. *Miré el insecto con una lupa.*

llo·viz·na *f.* Lluvia fina y suave. *La llovizna es buena para las plantas.*

mag·ná·ni·mo *adj.* Que es muy generoso; noble. *El que es magnánimo perdona las ofensas.*

ma·gu·lla·do *adj.* Que ha recibido golpes; lastimado. *Marta se cayó del árbol y quedó toda magullada.*

mar·cia·no *adj.* Relacionado con el planeta Marte.

mar·qués/que·sa *s.* Título de nobleza.

ma·tiz *m.* Color, tono. *El cuadro tiene un matiz claro.*

me·ta *f.* **1.** Lugar donde acaba una carrera. **2.** Cosa que una persona quiere hacer o conseguir.

mi·ne·ral pre·cio·so *m.* Piedra fina que se usa para hacer joyas. El jade, el diamante y el rubí son minerales preciosos.

mi·nia·tu·ra *f.* Objeto de tamaño muy pequeño. *Luis colecciona miniaturas, especialmente carros y botes.*

Montgomery *n.p.* Ciudad de los Estados Unidos, capital del Estado de Alabama.

mo·ro/ra *s.* **1.** Persona del noroeste de África. **2.** Se les dice a los musulmanes que invadieron España y vivieron en ese país durante ocho siglos.

mo·tor a va·por *m.* Mecanismo que pone en movimiento un tren. *La mayoría de los trenes con motor a vapor han sido reemplazados por trenes eléctricos.*

mue·lle *m.* Lugar donde llegan los barcos para cargar y descargar.

mu·ral 1. *m.* Pintura en un muro. *Los niños pintaron un bello mural en la pared del patio.* **2.** *adj.* Que está en un muro. *En el salón de clases hay un mapa mural de Estados Unidos.*

mural (definición 1)

Nashville *n.p.* Ciudad de los Estados Unidos, capital del Estado de Tennessee.

ni·ve·lar *v.* Poner a la misma altura; alisar. *Usaron una máquina para nivelar la ruta.*

o·bra de te·a·tro *f.* Lo que se escribe para ser representado; pieza de teatro. *Los principales actores de algunas obras de teatro son niños.*

o·bra ma·es·tra *f.* **1.** Trabajo hecho con gran perfección. **2.** Se dice del mejor trabajo de una persona, especialmente de un artista.

ob·ser·var *v.* Mirar algo con atención; examinar. *Los niños están observando una fila de hormigas que llevan hojas al hormiguero.*

o·fi·cio *m.* Trabajo de una persona, en especial los trabajos donde se emplea esfuerzo físico o habilidad manual. *El oficio del sastre es hacer ropa.*

on·du·la·do *adj.* Que forma ondas o curvas. *Sara tiene el pelo ondulado.*

pa·be·llón *m.* **1.** Habitación muy grande. *En la escuela, hay un pabellón grande que se usa como salón de recreo cuando llueve.* **2.** Especie de toldo de adorno. *En el museo vi una cama con pabellón.*

patio

pa·tio *m.* Espacio abierto que forma parte de una casa o edificio.

pe·ne·trar *v.* Pasar algo desde el exterior al interior de una cosa; entrar. *La flecha penetró en el tronco del árbol.*

pe·no·sa·men·te *adv.* De manera difícil; con dificultad. *La anciana subía penosamente las escaleras.*

pen·sa·ti·vo *adj.* Que está pensando en algo; distraído. *Creo que algo le preocupa porque está muy pensativo.*

per·so·na·je *m. y f.* **1.** Persona imaginaria en una novela, obra de teatro, cine o televisión; protagonista. *Pinocho es el personaje de un cuento.* **2.** Persona muy importante. *Simón Bolívar, el libertador de Venezuela, Colombia y Perú, es un personaje histórico.*

por·che *m.* Entrada de la casa. *En el porche hay una mecedora.*

pren·da de ves·tir *f.* Ropa. *Compré varias prendas de vestir: una camisa, un pantalón y medias.*

pro·cu·rar *v.* **1.** Poner interés y esfuerzo para conseguir algo; intentar. *Voy a procurar llegar temprano a la escuela.* **2. procurarse** Conseguirse, proporcionarse. *Las palomas van a los parques para procurarse comida.*

pro·mo·ver *v.* Hacer conocer, promocionar. *Juan promueve los deportes organizando campeonatos en las escuelas.*

puer·co es·pín *m.* Animal mamífero que tiene el lomo y los lados cubiertos con púas de hasta 20 centímetros de largo.

pul·po *m.* Animal de mar que tiene ocho tentáculos y cabeza grande. *Cuando un pulpo se siente en peligro, suelta una especie de tinta para confundir a sus enemigos.*

pulpo

pun·ti·llas Se usa en la frase **de puntillas**. Modo de andar, pisando con la punta de los pies y levantando los talones. *La enfermera camina de puntillas para no hacer ruido.*

pun·zón *m.* Instrumento de hierro terminado en punta. Sirve para abrir ojales o agujeros. *El zapatero usa un punzón para trabajar el cuero.*

que·di·to *adv.* Muy quedo, con voz baja que apenas se oye; bajito. *Mi madre me habló quedito, como en secreto.*

que·ha·cer *m.* Algo que se debe hacer; ocupación, tarea, trabajo. *En casa cada uno tiene un quehacer.*

ra·mi·lle·te *m.* Ramo pequeño de flores. *La niña recogió flores silvestres, hizo un ramillete y se lo regaló a su amiga.*

ras·gar *v.* Desgarrar, romper, hacer pedazos.

re·bel·de *adj.* **1.** Que no obedece a la autoridad o que lucha contra ella. **2.** Que es indócil, desobediente. *La niña es un poco rebelde; le gusta tomar sus propias decisiones, sin escuchar ningún consejo.*

re·cli·nar *v.* Inclinar el cuerpo o parte de él, apoyándolo sobre una cosa; recostar. *Marta se sentó en la cama, reclinó la cabeza sobre la almohada y comenzó a leer.*

re·co·lec·tar *v.* Recoger. *En el verano, vamos a ir a recolectar moras.*

re·fle·ja·do *adj.* Que su imagen se ve en un espejo, en el agua, en un vidrio. *Se lo veía reflejado en el río.*

re·fu·gio *m.* Lugar donde se esconden o protegen personas o animales. *Esa cueva debe ser el refugio de algún animal.*

re·men·da·do *adj.* Que tiene los agujeros cosidos con remiendos o refuerzos. *Tengo unos pantalones remendados tan bien arreglados que parecen nuevos.*

ren·di·ja *f.* Abertura larga y muy estrecha. *La luz entraba por la rendija de la puerta.*

re·ne·gar *v.* Mostrar una persona enfado por algo que le ocurre o que le hacen; quejarse, protestar.

re·pi·car *v.* **1.** Sonar o tocar insistentemente las campanas. *Escuché el alegre repicar de las campanas.* **2.** Picar otra vez.

re·so·nar *v.* Prolongarse un sonido por medio del eco, por ejemplo en una cueva o en una habitación vacía; retumbar.

re·tro·ce·der *v.* Volver hacia atrás, dar marcha atrás. *El coche retrocedió para estacionarse.*

re·ve·ren·cia *f.* Inclinación del cuerpo en señal de respeto a una persona.

riel *m.* Cada una de las piezas de hierro que forman las vías del ferrocarril; vía.

rien·da *f.* Cada una de las dos correas o cintas que se usan para conducir un caballo; brida.

ro·cí·o *m.* Gotas de agua que se forman en las horas frías de la madrugada y caen sobre la tierra o sobre las plantas. *Al amanecer, el campo está cubierto de rocío.*

ro·de·a·do *adj.* Que tiene algo a su alrededor. *El castillo está rodeado por una muralla.*

ro·de·o *m.* **1.** Acción de andar alrededor. **2.** Deporte basado en las tareas típicas del vaquero norteamericano que consiste en varias pruebas: doma de caballos, lanzamiento del lazo, etc.

rodeo (definición 2)

ron·co *adj.* Se dice del sonido bajo como el del viento o el de las voces de algunas personas. *Me quedé ronco de tanto gritar.*

ró·tu·lo *m.* Anotación que indica el contenido de una cosa; etiqueta, letrero. *En el rótulo de la lata dice: "Salsa de tomate".*

ro·zar *v.* Tocar suavemente una cosa.

ru·gir *v.* **1.** Hacer su sonido el tigre, el león, u otro animal parecido. **2.** Emitir su sonido el mar, el viento o la lluvia fuerte; bramar. **3.** Dar una persona gritos muy fuertes, por el dolor o la ira.

San An·to·nio *n.p.* Ciudad de los Estados Unidos, situada en el Estado de Texas.

se·gar *v.* Cortar trigo o hierba; cosechar. *Usó una hoz para segar el trigo maduro.*

se·ñal *f.* Cualquier cosa que sirve para indicar algo; aviso. *A la señal de alto, debes detenerte.*

se·quí·a *f.* Falta de lluvias, que seca los campos; seca. *Durante la sequía, se debe gastar poca agua.*

si·lue·ta *f.* Línea formada por la parte de afuera de una figura; perfil. *En la nieve, quedó marcada la silueta de la niña.*

so·ber·bio *adj.* **1.** Que tiene mucho orgullo; altanero, arrogante. *Tiene pocos amigos porque es muy soberbio.* **2.** Que es hermoso, magnífico. *En la plaza hay un monumento soberbio.*

sub·te·rrá·ne·o *adj.* Se dice a lo que está bajo tierra. *El tren subterráneo es más rápido que el autobús.*

su·ce·sor *adj.* Se dice de la persona que va a reemplazar a otra en un puesto o actividad.

su·per·fi·cie *f.* Parte exterior de un cuerpo. *La superficie de la mesa es áspera.*

su·su·rrar *v.* Hablar en voz muy baja. *Tenían que susurrar para no despertar al bebé.*

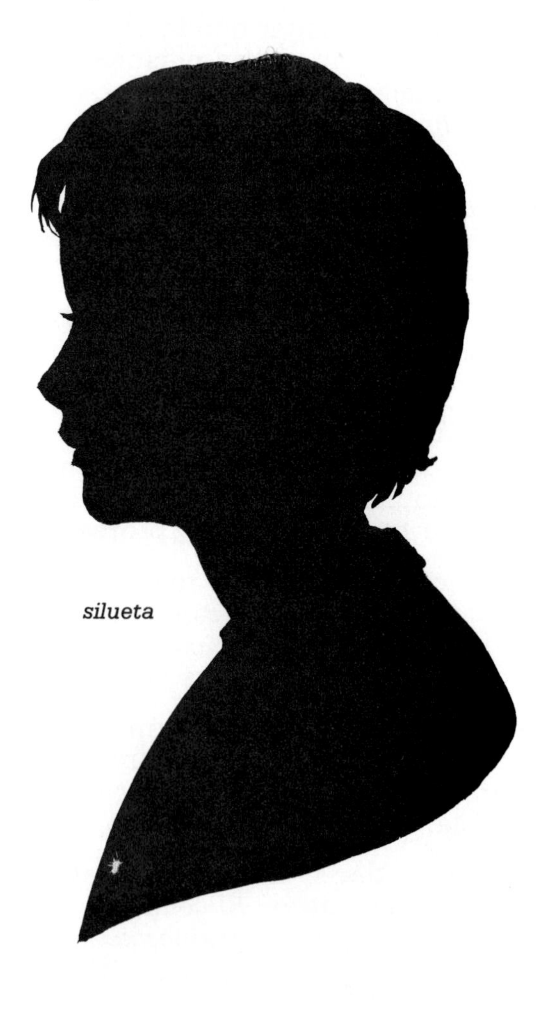

silueta

ta·bu·re·te *m.* Asiento sin brazos ni respaldo; banquillo.

te·lón *m.* Lienzo grande que se pone en el escenario del teatro.

Tennessee *n.p.* Estado del sudeste de los Estados Unidos.

Te·xas *n.p.* Estado situado al centro y al sur de los Estados Unidos.

tex·tu·ra *f.* Manera en la que están tejidos los hilos de una tela. *La textura de un pañuelo es muy diferente de la textura de una bolsa de arpillera.*

tie·so *adj.* Difícil de doblar o torcer; rígido.

ti·nie·bla *f.* Falta de luz; oscuridad. *Se cortó la luz y nos quedamos en tinieblas.*

to·ci·no *m.* Parte grasa de la carne de cerdo.

to·rre *f.* Construcción alta y estrecha.

torre

to·rren·te *m.* Corriente de agua rápida y fuerte. *Un peligroso torrente arrastró plantas y animales.*

tú·nel *m.* Cualquier clase de paso hecho por debajo de la tierra que, muchas veces, pasa de un lado a otro de una montaña. *Gracias a los túneles ha mejorado la comunicación entre los pueblos de la montaña.*

tú·ni·ca *f.* Vestido o camisa amplia y larga. *La túnica se lleva suelta o con cinturón.*

turbante

tur·ban·te *m.* Trozo de tela larga que se envuelve alrededor de la cabeza. *El rey moro tenía un turbante dorado.*

u·ti·li·zar *v.* Sacar utilidad de una cosa; usar. *Voy a utilizar un retazo de tela para secar los platos.*

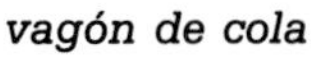
vagón de cola

va·gón de co·la *m.* Coche del ferrocarril que está al final de un tren de carga. *En el vagón de cola, los empleados trabajan y descansan.*

ve·llu·do *adj.* Que tiene mucho pelo o vello; peludo.

ver·sión *f.* **1.** Interpretación de un hecho. *Cada uno ha contado una versión diferente del accidente.* **2.** Traducción. *Se está haciendo la versión en español de un cuento italiano.*

vi·ga *f.* Madero largo y grueso que generalmente se usa para sostener el techo de una casa.

vís·pe·ra *f.* Día anterior a una fecha o conmemoración. *En la víspera de su cumpleaños, Natalia estaba muy emocionada.*

vo·ci·fe·rar *v.* Dar voces; gritar. *Se enojó y comenzó a vociferar.*

yar·da *f.* Medida inglesa de longitud que equivale a 91 centímetros.

ye·gua *f.* Hembra del caballo. *La yegua tuvo un hermoso potrillo blanco.*

yer·ba·bue·na *f.* Hierba de olor agradable que se usa como condimento y para hacer té; hierbabuena.

zan·ja *f.* Excavación larga y estrecha que se hace en la tierra. *Cavaron una zanja para plantar árboles.*

zum·bi·do *m.* Sonido monótono que hacen algunos insectos. *El zumbido de un mosquito era lo único que se oía en la noche.*

INFORMACIÓN ILUSTRADA

COVER DESIGN: Designframe Incorporated
COVER ILLUSTRATION: Doug Smith

DESIGN CREDITS
Kirchoff/Wohlberg, Inc., Design and Art Production
Sheldon Cotler + Associates Editorial Group, 36-61, 64-77
WYD Design, 232-233
Designframe Incorporated, 154-155
Notovitz Design Inc., Información ilustrada
Curriculum Concepts, Inc., Glosario

ILLUSTRATION CREDITS
Unidad 1: Steve Dininno, 10–13; Arvis Stewart, 14–35; Susan Capezzone, 36–37, 60–61 (lettering); R.M. Schneider, 62–63; Mary Collier, 77; Lori Osiecki, 78–79; Bob Barner, 80–81 (paper art); Don Madden, 80–81; Tom Leonard, 82–97; Ket Tom, 98–99. **Unidad 2:** Cary Henrie, 100–103; Nancy Stahl, 104, 109–110 (b), 126–127 (b); Randy Hamblin, 128–129, Stêphen Daigle, 152–153; Nicholas Wilton, 154–155; Esther Baran, 156–173; Tom Leonard, 174–175; Kristen Goeters, 176–199. **Unidad 3:** George Hierro, 202–205; David Dunkelberger, 232–233 (bkgd.); David Diaz, 234–235; Fredric Winkowski, 236–249; Donald Gates, 250–251. **Información ilustrada:** Anatoly Chernishov, 305; Alex Bloch, 305; George Poladian, 308–309. **Glosario:** Diane Blasius, 314 b., 315 t., b., 318, 320, 321, 325, 329; Lyle Miller, 314 t., 319, 322 t., 323, 333; Julie Ecklund, 317, 324, 328, 331; John Mueller, 322 b.

PHOTOGRAPHY CREDITS
All photographs are by the Macmillan/McGraw-Hill School Division (MMSD) except as noted below.
Unidad 1: 61: r. Sean Kernan. 82–97: Stephen Ogilvy. 97: b.r. Courtesy of Mireya Cueto. **Unidad 2:** 104: Jack Spratt/Picture Group. 130: Courtesy of Arline & Joseph Baum. 156: t. Courtesy of Colegial Bolivariana, C.A. 199: t. Courtesy of Mauricio Charpenel. 200–201: *Detroit Industry, North Wall,* (1932–33), Fresco, by Diego Rivera, Detroit Institute of Art, Founders Society Purchase, Edsel B. Ford Fund and Gift of Edsel B. Ford, #33.10 N. **Unidad 3:** 232: Vicki Ragan. 233: Vicki Ragan. 252–253: Ken Karp, OPC. 277: t. Courtesy of Berta Hiriart. 296–297: Courtesy of Thomas Allen. 298–299: John Lei, OPC. **Información ilustrada:** 306: t.l. Helen Marcus/Photo Researchers; t.r. Lee Kuhn/FPG; b.l. E.R. Degginger/Animals Animals; b.r. Mark Gerson/FPG. 307: t.l. David Barnes/The Stock Market; b.l. Ed Cesar/Photo Researchers. 310: t.l., b.l. The Granger Collection; b.r., Ernest Robl. 311: l. Ernest Robl; t.r. Bruno de Hoouques/TSW; b.r. TSW. 313: Scott Harvey for MMSD. **Glosario:** 314: t.l., 327: Viviane Moos/The Stock Market. 314: c., 319: t. Robert Holland/The Image Bank. 315: l., 316: Peter Angelo Simon/The Stock Market. 315: r., 325, 326: l. Superstock. 326: r. J. Messerschmidt/The Stock Market. 330: Robert Semeniuk/The Stock Market. 332: l. Superstock; r. Jay Fries/The Image Bank.